Les affres d'un défi

Chez le même éditeur

Dezafi (en créole haïtien) 2002

Les Métamorphoses de l'oiseau schizophone :

> *D'un pur silence inextinguible*, 2004
>
> *D'une bouche ovale*, 2006
>
> *La méduse orpheline*, 2006
>
> *La nocturne connivence des corps inverses*, 2006
>
> *Une étrange cathédrale dans la graisse des ténèbres*, à paraître
>
> *Clavier de sel et d'ombre*, à paraître
>
> *Les échos de l'abîme*, à paraître
>
> *Et la voyance explose*, à paraître

Le sphinx en feu d'énigmes, collection « Pyromanie », 2009.

Frankétienne a écrit en 1975 *Dezafi*. Ce roman est une référence fondamentale dans la littérature créole et a fait l'objet de nombreuses études. Il a servi de matrice pour *Les affres d'un défi*, écrit en 1979 directement en français par Frankétienne. Il ne s'agit donc pas d'une traduction mais d'une nouvelle interprétation d'une œuvre en perpétuel mouvement.

Édition : Jutta Hepke & Gilles Colleu

Un glossaire est proposé au lecteur page 211.
L'orthographe des mots en créole est celle de la première édition.

ISBN : 978-2-911412-70-7
© Vents d'ailleurs / Ici & ailleurs, 2010
info@ventsdailleurs.com
www.ventsdailleurs.com

Frankétienne

Les affres d'un défi

Vents d'ailleurs

Enchevêtrement de branches d'arbres au fond d'une vieille cour fréquentée rarement par des êtres humains. Une poignée de sel commence à se dissoudre dans un chaudron d'eau bouillante. Un chaudron abîmé, complètement bosselé, noirci de couches de fumée. Au milieu d'un feu de bois, d'innombrables grains de sel crépitent. Incessant combat entre la vie et la mort.

Dormir avec l'espoir que la lumière drainera nos angoisses nocturnes. Se réveiller loin des songes désentravés, le corps enlépré de solitude. Regarder l'immensité des déserts inarpentés. Errer à travers la meublerie des désirs. Remuer le ciel et la terre jusqu'au saignement des étoiles et des pierres. S'empiffrer de nourriture. Lécher d'appétit. Palper avec prudence. Souffler sur les morceaux brûlants. Choir / déchoir. Fuir à toutes jambes. Crever de faim des jours entiers. Parler sans cesse. Déraisonner. Avoir la langue engourdie ou cisaillée en mille morceaux. Être repu. Avoir les tripes encordées par la douleur. Éprouver une soif d'enfer. Se parer comme un paon. Se coucher de mauvaise humeur. Se lever en pleine euphorie. Rire à pleines dents. Marcher tout nu ou recouvert de haillons. Se fourvoyer dans de folles amours. S'enliser dans la mort. Mais qui parmi nous vit réellement ? Vraiment, qui ?

Une infinité de gens, les plus divers, sombrent en pleine conscience dans un rêve hallucinant. Étrange, interminable cauchemar peuplé de bêtes nuisibles et de personnages carnavalesques. Des agamans. Des serpents. Des mabouyas. Des scorpions. Des araignées venimeuses. Des mille-pattes. Des fresaies. Des malfinis. L'énigmatique lasigoâve. L'étonnante madame Bruno. Le terrible Charles Oscar. Et des spécialistes de boîtes à surprises avec leurs curieuses marottes.

Égarés à l'entrecroisement des chemins, nous peinons à la recherche de notre route. Comble de malchance, la nuit nous engaine dans une opacité goudronneuse, et nous nous fourvoyons dangereusement sur des pistes enténébrées de maldiocre. Parfois, nous tournons en rond, sur nous-mêmes. Nous allons éparpillés, à reculons, dans des directions opposées. Où allons-nous ? Quel est le but de notre voyage ?

Nous ressassons de vains reproches sans rien tenter contre les semeurs de deuil. Souvent, nous parlons à nous-mêmes ; et nos paroles perdent leur sens dans un temps innommable. Qui nous écoute ? Qui cherche à nous comprendre ? Plutôt que de nous entendre, ils nous traitent de fous ; puis, ils s'empressent de nous museler. Carrousel des jours et des nuits. Marionnettes et girouettes au cirque des saisons. Nous demeurons hébétés dans un rêve empoisonné par des créatures maléfiques. Un rêve entrecoupé de cauchemars. Sifflements du vent. Couteaux des éclairs. Théâtre de l'orage. Nous nous remuons un peu. À demi réveillés, nous ouvrons un œil, dans l'instabilité du souvenir et de l'oubli. Nous nous souvenons quelque peu. Mais, nous avons oublié les séquences essentielles du rêve.

Enchevêtrement de branches d'arbres au fond d'une vieille cour. Terre dure aux veines emmaillées de pierres et de sable. Tripes encouleuvrées / lovées par la faim. Entrailles sanglées par la douleur. Chaque jour, le ventre vide, Rita s'échine dans les travaux domestiques. Enfermé dans sa maison, sans trêve, Gédéon lance des injures. Au milieu de la nuit, des cris déchirants nous vrillent le tympan, nous dardent la cervelle. La peur aux tripes, nous tressaillons jusqu'aux racines. Frissons électriques. Nos cheveux se dressent. D'un bond, nous sautons hors du lit.

Saintil se carre dans un fauteuil. À ses pieds, un troupeau de zombis à genoux sous le péristyle. À sa droite, Sultana, assise sur une chaise en paille. À sa gauche, Zofer, debout, immobile et droit, un fouet de manège à la main. Trois cierges illuminent le poteau-mitan. Soudain, Saintil commence à agiter un asson et une clochette.

— Sultana, ma fille ! Les eaux énigmatiques bouillonnent dans la cour de Grande-Brigitte et interdisent tout ajournement !

— Oui, papa.

— Écoute-moi bien. Les nids vont se défaire au milieu de la nuit. Le vent emportera les oiseaux aphones et les papillons frêles. Il faudra que le filet soit prêt pour la capture des âmes égarées.

— Oui, papa.

— Tu es responsable de la surveillance culinaire et du rituel alimentaire des zombis. N'oublie jamais que l'usage du sel est strictement prohibé. Ne l'oublie jamais, mon enfant. L'évasion d'un zombi n'est possible que par l'absorption du sel.

Saintil agite l'asson, en débitant d'une voix rauque un jargon mystique. Puis, il regarde vers la gauche.

— Zofer !

— Oui, chef.

— Par l'œuf brisé dans le sobagui, j'entends respirer le poussin partagé entre la vie et la mort.

— Oui, chef. Rien ne vous échappe. Investi du pouvoir magique de métamorphoser les humains, vous êtes infaillible, invulnérable. Votre auguste personne dispose de tous les gros points.

— La saison de la récolte de riz approche. Il est temps pour nous d'honorer les marassas. La nuit s'enroule dossou-dossa.

— Oui, chef.

— Demain à l'aube, rasez proprement le crâne des zombis. Avant de les envoyer travailler dans les rizières marécageuses, fouettez-les jusqu'au sang. Le général Linglessou a soif, et il est impatient.

— Oui, chef.

— Aux moindres velléités d'insubordination de la part d'un zombi, tailladez-lui la peau, écrabouillez-lui la chair, brisez-lui les os, écrasez-lui la tête, jusqu'à la plus complète pulvérisation. Ensuite, désaltérez-vous de son sang.

— Oui, chef. J'exécuterai rigoureusement toutes vos instructions. Le silence et la paix régneront un siècle encore sur toute l'étendue de vos terres. Et rien ne pourra contrarier vos desseins.

Saintil se lève en même temps que Sultana. Il agite l'asson, s'avance tout près du poteau-mitan ; puis, à reculons, il regagne sa place. Empoignant une bouteille enrubannée de satin rouge et noir, il verse sur le sol trois jets de rhum ; puis, la tête inclinée en arrière, il avale d'un trait tout le contenu de la bouteille.

— Bande de zombis ! Vous n'avez plus d'âme, et votre corps ne vous appartient plus.

— Oui ouan ! Oui ouan ! Oui ouan !

— Baissez la tête. Désormais, vous ne regarderez que vos orteils.

— Oui ouan ! Oui ouan ! Oui ouan !

— Vous êtes enfermés, parqués sur mes terres, pour cause d'impertinence. Je suis l'arme du destin ; ma justice est implacable.

— Oui ouan ! Oui ouan ! Oui ouan !

— Je suis le chef omnipotent de la région. Ma voix a déjà pris possession de votre âme et de votre corps. Vous n'arriverez jamais à rompre la chaîne qui vous relie à l'ancre de fer.

— Oui ouan ! Oui ouan ! Oui ouan !

— Je ne réitère jamais mes instructions à qui que ce soit. Je déteste gaspiller mon temps et mes paroles.

— Oui ouan ! Oui ouan ! Oui ouan !

— L'usage du sel vous est formellement interdit. Seule Sultana est autorisée à vous servir vos repas. Seule Sultana est autorisée à vous donner à boire. Malheur à celui-là qui, par égarement, aurait goûté à un grain de sel.

— Oui ouan ! Oui ouan ! Oui ouan !

— D'ailleurs, les morts ne reviennent jamais à la vie ; l'ordre des choses demeure immuable, irréversible. Rien, jamais rien ne changera pour vous. Toujours vous resterez les mains vides. Vous ne recevrez que de moi, et seulement quand il me plaira de vous tendre la main.

— Oui ouan ! Oui ouan ! Oui ouan !

— Vous êtes embarqués dans un voyage pour l'éternité. Vous ne reverrez jamais les paysages qui vous étaient familiers. Chaque jour, chaque nuit, à toute saison, à toute heure, vous n'entendrez parler que de moi. Mon pouvoir est éternel et sans limites.

— Oui ouan ! Oui ouan ! Oui ouan !

Roulements de tambour. Piaffements d'un cheval attaché au poteau. Bonds élastiques d'un chat sauvage franchissant une haie d'arbres-chandeliers. Un noyau d'avocat dégringole une pente. Provenant du faîtage d'une maison, une voix terrifiante hurle soudain :

— *Je voudrais choir de tout mon poids ! Je charrie des tonnes d'ombres et je transporte d'immenses cargaisons de deuils sur mes épaules, depuis des siècles. Les roseaux de la mémoire plient sous le vent de mes paroles. Mes éclairs crèvent la trame des nuages nourris de pluie et de sang. Je voudrais choir de tout mon poids !*

— *Tombe comme tu veux ! Mais, prends bien garde qu'il n'arrive un malheur ! (répond quelqu'un à l'intérieur de la maison).*

Nous sommes hantés par une infinité de rêves indéchiffrables. Obsession ancrée au plus profond de notre âme. Un flot d'idées palpite en nous qui recherchons le secret des cadences harmonieuses. Depuis longtemps, nous n'avons pas sarclé ; les broussailles ont envahi nos champs. Aussitôt que tourne la clef de la lumière, les oiseaux de mauvais augure s'envolent dans la nuit. Nous avons curieusement introduit nos doigts dans les interstices des éclairs, à travers les fissures du ciel, nous avons été blessés jusqu'aux os. En plein sommeil, nous avons engagé un pari. Au réveil, ils nous ont ravi les fruits de nos rêves.

Enchevêtrement de branches d'arbres au fond d'une vieille cour, fréquentée par de rares êtres vivants. Nous étendons nos bras à l'extrême amplitude de nos brasses pour ne pas être submergés, pour ne pas non plus sombrer dans les flammes. Pourtant, touchés profondément par les flèches du malheur, déroutés par les madichons de l'amour, épouvantés par les grimaces de la mort, nous sommes des écorchés vifs. Nous devrions nous méfier des rats qui mordent en soufflant pour nous endormir et nous faire oublier nos douleurs (vieux rats spécialistes du double jeu). Étincellements ardents de nos cervelles enfiévrées d'orage. Dans l'effervescence de nos pensées, nous recherchons avec ferveur les nervures, les nœuds et les racines de la lumière pour baliser de clartés nos chemins. Nous questionnons. Nous palpons la vie avec le désir de lui arracher des secrets. Vaine démarche, puisque notre voix se perd dans le silence. Paroles contradictoires. Nos langues tailladées, mises en lanières, s'effilochent en filandres. Nos mâchoires se disloquent. Paroles brûlées, réduites en cendres. Paroles vendues pour un plat de lentilles. Paroles étouffées dans le sang. Paroles emportées par le vent. Paroles dispersées dans l'ailleurs. Inflammation des ganglions de l'aine à la suite d'un faux pas. Échec et déception. Pour se moquer de nous, ils tirent la langue, font semblant de nous offrir, sans jamais rien nous donner. Foulure. Nos jointures sont désarticulées. Nous avons adopté toutes les postures imaginables : nous nous sommes assis, relevés, allongés, accroupis, recroquevillés. Personne ne nous a encore dit sur quel pied entrer dans la danse. Le jour, nous parlons tout seuls. La nuit, nous parlons à nous-mêmes. Nous divaguons. Puis, nous nous taisons. Mains à la mâchoire, nous regardons tristement défiler les jours.

Roulements de tambour. Voltiges de loup-garou. À un croisement de routes, de jeunes écervelés font des pirouettes acrobatiques,

exécutent des sauts périlleux, se livrent à des déhanchements hys-
tériques. Nous les regardons s'agiter ; et nous secouons la tête de
pitié. Par moments, il nous arrive de bouger sans nous déplacer
vraiment. Zigzag fugace des éclairs. Chevauchée bruyante de
l'orage. Déchirure du ciel et avalanche d'eau. Torrents déchaînés
et rivières en crue charriant d'innombrables épaves. Malgré tout,
au-dehors, les raras bouillonnent d'animation. En proie à la ten-
tation, nous esquissons le geste de nous lever. Mais, s'il est question
pour nous d'y participer pleinement, sur quel pied devrions-nous
danser ?

La chair tailladée, nous avons le corps raviné de cicatrices...
jusqu'aux os.

Enchevêtrement de branches d'arbres au fond d'une vieille
cour. À gauche, un manguier commence à peine à fleurir. À
droite, un mapou géant s'effeuille au soleil. À l'ombre de la clôture, un chien chétif halète en bavant. Juste au milieu, se dresse
une maison haute au style ancien, en vétusté depuis longtemps,
flanquée d'un paratonnerre dont la flèche vacille sous la fureur
aveugle des cyclones. De temps en temps, la vieille bâtisse se
balance au gré du vent, perdant complètement l'équilibre, tel
un ivrogne titubant. Danseuse hystérique, elle excelle dans les
déhanchements érotiques, quand Port-auPrince, sous les assauts
des vents, se convulse d'épilepsie (le mal caduc).

Jeu macabre. Jeu difficile à démêler. Miroir brisé. Jeu sanglant. Encerclement. Désenclavement. Ratissage. Nous tenons
le coup. Bondissement, piaffement, galopade, toussaillement,
aboiement, hennissement des cyclones dans l'espace caraïbe. La
vieille maison s'enivre de danse, tout en tenant le dur pari de ne
jamais capituler face à la démence des vents.

Chaque année, du début d'août à la fin d'octobre, les oura-
gans impétueux chargent puissamment, dévalent les montagnes,
se ruent avec sauvagerie sur Port-au-Prince. Hurlements du vent.
Rafales de pluie. Bouillonnements rageurs de la mer. Là-haut,

dans le ciel, des bataillons de cumulo-nimbus roulent, s'accumulent menaçants du côté de Sans-Fil, tandis que des escadrons de nuages mobiles lèchent l'échine du Morne l'Hôpital, se dirigent à vive allure vers Mariani, puis franchissent précipitamment la mer. Alors, pris de vertige, étourdis de folie, les oiseaux s'envolent sans leur ombre. Estocade aux salières. Coup mortel. Des plaques de tôle, détachées des toitures, virevoltent. Fleurs arrachées. Blessures et débauche de sang. Attente de la mort. Chute dans le sommeil. L'anéantissement par la faim. La torpeur et la plongée dans le rêve. Rien que masques de carnaval. Notre gorge se resserre, nœud d'asphyxie. Amertume à nos lèvres, nous crachons de dépit, rejetant notre âme dans le sillage de la mort. Toutes nos paroles deviennent âcres.

La vieille maison vacille dans toutes les directions, sans s'effondrer pour autant, exhalant à la longue des relents de mystère dans le quartier. Enveloppée de ténèbres épaisses, elle n'est jamais éclairée. Aucune lumière. Même pas les faibles lueurs d'une lampe gridape. Le jour, le soir, la nuit, toutes les portes et les fenêtres restent toujours bien closes. De l'avis des voisins, cette maison représente un nid de mystères tressé par la main d'un vieux baka et implanté au cœur du quartier une nuit où toute la ville dormait, soûlée de lune empoisonnée.

Depuis longtemps, nous nous évertuons à chercher. Feuilles sensibles aux caresses du vent, nous frissonnons dans l'amour. Dans la pénombre, au creux du lit, un seul mot insinué au tuyau de l'oreille nous fait tressaillir dans nos fibres les plus intimes. Nous frémissons jusqu'aux racines. Entre nos orteils, glissent des grains de sable. Où palpite notre vie ? Les jours s'en vont, les jours reviennent, se succédant tantôt normalement, tantôt à rebours. Tourments. Tribulations. Déroutantes vicissitudes. Ça fait longtemps que nous cherchons.

Les chemins de Legba s'entrelacent au fond des bois, là où gisent les pierres sacrées ; ils s'enchevêtrent à nos pieds, s'infiltrent par nos nerfs, brassent notre sang, traversent l'intérieur du corps, électrisent nos sens. Jusqu'où s'arrêtera la route expiatoire creusée en nous dans la douleur des examens de conscience ?

Nous nous réveillons tôt ; par le trou de la serrure, nous regardons passer les zombis à la file indienne ; chaque matin, un peu avant l'aube, Zofer les conduit vers les rizières marécageuses.

Comment parler, sans complaisance, sans épanchements lyriques, d'une aventure tragique qui nous touche de si près ?

La servitude commence par l'hypothèque des désirs déclenchant une cascade d'inhibitions alimentées par la peur de franchir les frontières artificielles ou naturelles.

Les sous-fifres exercent partout leur métier d'espions torpilleurs ; ils sont si nombreux autour de nous que vivre est devenu un exercice quotidien d'espadonnades et d'esquives.

Une allumette craque / le feu éclate et se répand / la fumée se propage / il aura suffi d'une étincelle pour que les flammes jaillissent hors de leurs tiges. Coqs de combat, nous luttons du bec et des griffes dans l'arène, sous le regard sadique des spectateurs. Depuis trois jours, nous n'avons rien mis entre nos dents ; nos enfants n'ont rien mangé, rien bu / Mais, qui ose parler de grève de la faim dans un pays de ventres creux ? Les sabots des chevaux de minuit martèlent le sol des rues désertes / Bruit puissant malaxant les muscles du bas-ventre / Respiration sexuelle et odeur de la peur.

Nous avançons péniblement dans un espace affadi par nos atermoiements / nos ailes cassées balayent la poussière annonciatrice d'éclipse. Coup mortel aux salières / flux de paroles dérisoires / l'imprévisible revirement au bout des tenailles de la faim / nous avons été acculés à tourner notre étrave vers d'autres ports. Après avoir dévoré à belles dents les rats et les souris, Maître-Chat ratiboisa plusieurs sacs de riz, de maïs et de petit-mil ; surpris, il s'échappa en trombe de la maison vide, ne laissant dans un coin qu'un amoncellement d'excréments amers.

Qui a dévasté une partie de nos champs ? / Quelles mains agressives ont envenimé nos écorchures ? / Guerre à fond de nerfs surchauffés où mûrissent les fruits de la folie. Les cœurs trop sensibles ne se risquent pas dans le tourbillon de la violence / les faibles ne devraient pas s'engager / Choc éblouissant / Grimace des visages enlaidis par la surexcitation démoniaque / Dominant les hurlements et les trépignements de la foule en crise, nous abordons avec prudence les terrains piégés.

Poussière, fatras et sécheresse des mamelles jetées à la poubelle / Le sang s'affole, se décompose et pourrit dans les ténèbres intestines. Par notre insouciance, la vache s'est enfuie / la corde reliant le cœur à l'espoir s'est rompue.

Ils ont saccagé et pillé nos demeures / Nasillant comme des idiots, nous regardons passer le vent / La maladie impossibilise nos désirs ; et le malheur contrarie l'envol de nos rêves.

Vulnérabilité des naïfs / échec des bouffons / déchéance des valets veufs de leurs maîtres. Tristes et désarmés, nous invoquons les dieux du hasard / Plutôt que de dormir, nous ferions mieux de marcher / Les joies viriles de l'action transcendent la douce inertie du sommeil. Assassins de l'espoir, voleurs d'âmes, insatiables carnassiers empestant l'atmosphère de leur haleine, ils se sont spécialisés dans l'aménagement des pièges poisseux.

Par des étages de nuages gris, la tempête prépare un coup d'État dans le ramassage des vents épars au-dessus de la mer chauffée à blanc. Prostitution d'eaux vives reflétant les spasmes du feu ; le mal se dévoile dans les menstrues de la lumière. La soif, pire qu'un martyre, sous le soleil de midi / Carnage / Sueur et sang suintant par les pores dilatés.

Au seuil de la déraison s'effeuille la mémoire / Horrible castration par l'arrachement de la langue et la crevaison des yeux. Imprécations proférées par le bœuf-chaîne contre la machine-de-minuit démarrant à fond de train vers la mort aux sinistres barbelés. Odeur de crime / Vision de cadavres au fond de leurs prunelles / Ils ont broyé des corps d'enfants et poignardé des mères en pleine poitrine. Déchaînement de torrents / Rivières en crue / Furie des avalasses / Bougonnements quotidiens d'adultes impuissants. Les amateurs s'affrontent aux couteaux / Les coqs peureux fuient hors de la gallière, abandonnant le champ de bataille / Les mazettes se débinent.

Expériences de la violence / la bastonnade / l'hermétisme des cachots / l'enfer des prisons / les blessures / les meurtrissures / le feu aux trousses / les plaies envenimées / les perlins nocturnes.

Hostilités ouvertes / agressions sauvages / les provocateurs happent notre part de nourriture en nous tordant la main et en nous bousculant. Nous trébuchons sur des pierres coupantes. Puis, nous nous redressons en ramassant nos rêves piétinés. Sable remué par le vent. De temps en temps, des mirages surgissent et se dissolvent à l'horizon. Nous nous rechargeons l'âme dans le vertige des étoiles.

Réjouissances sous les tonnelles dans l'aggravation de la misère et l'épaississement de l'inconscience.

Toutes leurs promesses puent le mensonge. Ils nous ont laissés choir dans la boue. La nuit, nous dormons sous les ponts, sur les trottoirs. Le jour, nous errons à travers les rues de la basse ville, en furetant dans les dépotoirs aux abords des marchés publics, condamnés à reprendre le même calvaire, les mains vides, les lèvres sèches, la bouche amère, les tripes encordées par la faim.

Pleins d'astuce, ils campent un décor de façade, vantent, à gros coups de tambour et de tafia, le faux paradis des pauvres, et servent aux naïfs la vérité maquillée dans un plat de hareng fumé.

Les sceptiques continuent à chercher ; ils n'ont pas encore découvert la pierre d'Agarou, ni la machette d'Ogoun. Il nous faudra fouiller de l'autre côté des murs myopes.

Envoûtement que d'avaler les oiseaux, les nuages, la lune, le soleil. Plus tard, le choc en retour.

Les maîtres-pillards ont dévasté nos champs et anéanti nos récoltes. Sans pouvoir réagir, nous écumons de rage. Ils nous ont tordu le poignet pour nous dépouiller d'une pitance, nous privant ainsi du banal plaisir de manger les miettes de pain, les parcelles de maïs, les grains de riz qui nous reviendraient de droit, en contrepartie de la sueur et du sang que nous versons dans les marécages.

D'entrée de jeu, ils ont pu filer subrepticement des graines toxiques et des stupéfiants à nos coqs de combat.

Des créatures difformes, croyant dans la vertu des batteries de houanga, voudraient que par le pouvoir des bôkors leur laideur se change en beauté. Nous élevons et dressons des coqs de race au plumage bigarré pour des paris fantastiques.

Ils s'agitent, pareils à des insectes bougeant leurs pattes et leurs antennes. Pour nous exaspérer les provocateurs médisent de nous, accumulent des immondices devant les portes de nos maisons, et souillent l'eau que nous buvons.

Les zombis traversent une immense savane plantée de cactus aux larges raquettes ; ils marchent les uns derrière les autres, sans rien oser dire. Les femmes zombies sont toutes vêtues de blanc ; elles décortiquent le riz sur les terres de Saintil.

Entre les chaînes, les frontières, les souffrances, le suicide, la mort, l'anonymat, les misères innommables, la pudeur sans grandeur... les meurt-de-faim, acculés à la mendicité, assiégés d'ombres, en arrivent à marcher les mains tendues et à dormir les bras ouverts. Le scarabée s'exerce à rouler des sphères d'excréments sur un sol mouvant. Œufs brisés / ajournement de nos espoirs / nous prenons trop de risques en engageant des paris où par anticipation nous offrons des avantages injustifiés et payons des gabelles odieuses à nos puissants adversaires. Nous ne nous fixons jamais à un endroit précis / nous ne pouvons pas nous coucher en un lieu fixe / notre cordon ombilical plonge dans un nid de fourmis / et nos doigts se nouent aux racines de la terre d'où surgiront des yeuseraies de lumière fertile. Mémoire et vengeance future.

La barque a chaviré dans le canal de Saint-Marc. La mer s'agite opulente, aveugle, indifférente. Demain, la marée s'apaisera, abandonnant d'innombrables épaves sur le rivage en deuil.

De la violence à la lumière, la brillance fugace d'un chemin vif. Lueur éblouissante aux yeux des téméraires. Le marteau, à plusieurs reprises, s'abat sur la barre de fer ; des gerbes d'étincelles fuient hors de l'enclume. Coups de dents et fermentation du sang. Le stylet s'enfonce dans la nuque avec un bruit mou. Le vent se lève, faiblit, puis s'éteint. Face à face, deux coqs pétrifiés de peur. Dans un vrombissement de mouches excitées, la bataille des chiens recommence près des poubelles, pour des os sans substance. Comment recoudre le ciel à l'horizon avec une aiguille cassée ? Ils nous ont bousculés, humiliés, pour des déchets de viande taillée, retaillée. Importunant nos enfants, ils ne nous lâchent pas d'un poil. Scandale au plus vif des nerfs. Vacarme à crever le tympan. Pour nous décharger la conscience, nous nous défoulons à grande orgie de mots.

L'anguille glisse, file sous les eaux de l'étang. Irrésistible femme dont nous flairons l'ombre à distance. Lueur creuse des yeux crevés. Horrible cécité de l'ignorance. Aveugle non point des yeux, mais de l'esprit.

Les charançons dévastent les champs de coton ; les envahisseurs nous attaquent sur tous les fronts. Un morceau d'étoffe pour cacher la nudité de nos filles. Inutile de nous lamenter sur la fragilité des abris qui nous protègent des intempéries.

Nos ennemis ont osé mettre les pieds chez nous, apportant jusqu'au seuil de notre maison le malheur accroché à leurs semelles.

Les coqs claironnent le réveil ; puis, leurs ailes se ferment ; leur chant résume toute la musique de la nuit.

Le vent emporte les paroles transmises par la rumeur, désamorçant les pièges bâtards, démeublant les lèvres empoussiérées de haine. Sueurs froides, sel amer, eaux énigmatiques sur le visage miroir du montreur d'ombres. L'orage annonce l'arrivée du messager, porteur d'armes miraculeuses. Les préliminaires des combats nous remplissent d'effroi. Le coq du voisin a eu la crête arrachée et les yeux crevés par une pintadine armée d'éperons métalliques. L'échec, tel le couteau dans la plaie. L'acide et ses feux dans la brûlure du fouet. Nous avons le corps brisé, l'âme engobée de lassitude, après sept jours d'angoisses et de déceptions dans l'arène. Ils ont bafoué plusieurs générations. Et, aujourd'hui encore, nous ne reconnaissons ni l'envers ni l'endroit des paysages mutilés. S'agirait-il de découvrir d'anciennes vérités, de figer certains fragments du temps présent ou de déflorer le futur insaisissable en son approche incertaine ? Dévorés par la curiosité morbide, pleins d'inquiétude, nous sondons les mystères des eaux mortuaires sous le voile du govi.

Furie des coups de dés désarçonnant les joueurs inexpérimentés. Quel théâtre derrière nos paupières closes ! Peu à peu, nous apprenons à répondre du tac au tac au jeu des personnages, en nous familiarisant avec leurs tics, leurs gestes et le timbre de leurs voix. Fouillant les entrailles de la fourmi, nous quêtons l'étincelle première, signe de feu pour la marche des kanzos. La poule ventaillée tourne autour du poteau-mitan en battant des ailes ; puis, elle s'arrête, le plumage bardé de poussière, pour expirer lentement entre les jambes écartées du houngan.

Nous avons avalé des grappes d'orages / la purge nous a purifié le cœur et les méninges. La saucissonnade.

La baffe retentissante. Cris de rapaces importunant l'azur. Nous avons été brutalisés par les accapareurs de terres. Tapi derrière une tombe, Saintil recueille la bave d'un mort dans la viscosité des ténèbres du cimetière de Bois-Neuf. Entassés les uns sur les autres, les enfants de la misère crèvent comme des chiens. La joie des bouffeurs de cadavres déborde dans leur rire affreux. Attaques verbales. Flots de paroles absurdes.

S'arracher les yeux pour du vent / jeu sanglant pour un enjeu futile. Jusqu'où plongent les racines de la colère ? Bouche grimaçante de Zofer laissant voir des incisives et des canines noircies par le tabac. À genoux, à plat ventre, à quatre pattes, les affamés barbotent dans une gamelle de boustifaille. La course du temps ne nous effraie pas. Plantes sauvages, nous bourgeonnons en tous lieux ; nos branches frissonnent, nourries de pluies fortuites.

Ils nous ont battus à mort, alors que nous rôdions aux abords de l'arène. Comment rattraper la jument en fuite avant que les dernières lueurs du jour ne s'estompent derrière la cime des montagnes ? Alternance de fureur et de tendresse.

Le foudroiement. Nous baignons dans notre sang. Dans l'habitation de Saintil, les zombis transportent du charbon, de la chaux, des régimes de bananes, des bottes de maïs et des sacs de riz. Toute la genèse des trahisons, lisible sur la peau du serpent. Coups de poignard à la nuque.

La tentation de l'argent. L'irrépressible passion des trésors. Un abominable vent couvrit la voix du prophète, au moment où il commença à évoquer les rapports obscurs entre les richesses fabuleuses et la somme de travail honnête.

Dans un pays de bras croisés, les fortunes ne peuvent être que scandaleuses. Terre labourée de douleur, malaxée par la faim / Terre de souffrance / Sol dur où les joies frivoles s'envolent et où ne poussent que de chétives racines.

Nous ne raffolons pas du plumage de ce coq vantard : il ne nous inspire aucune confiance. Un amateur, plein de ruses, a introduit une pintadine dans le gallodrome. Chambardement général dans la gallière. Même les coqs les plus endurcis s'enfuient à toutes ailes. Climat nocturne aménagé dans l'espace obscur de l'arène. Enlugubrement.

Gifles violentes. Odeur de poussière et de sang. Visages déconstombrés. Virtuose du bâton, le chef-de-section frappe les spectateurs, tantôt aux fesses, tantôt à la poitrine. Sur quel paysage ouvre la porte opaque ? Les larves émergent de l'ombre. De vieux rideaux fripés, déchirés, effilochés par le bas, flottent dans la chambre de Gédéon. Il quitte son lit, se dirige vers la fenêtre légèrement entrebâillée ; les lattes du plancher grincent. Avec un couteau aiguisé, Zofer arrache l'œil de la vache. Qui saura nous révéler le mystère du grain de sable et de l'eau roulant dans la fragile pérennité, et portant nos faibles empreintes jusqu'aux sommets glacés de l'éternité ? Étrange. Très étrange. Pourtant, toute la mer voyage par la bouche et le ventre des poissons. Toutes les douleurs humaines passent par nos yeux. Nous étions liés / nous avons rompu / nous nous sommes réconciliés / Nous misons sur les mêmes chiffres / nous parions sur les mêmes coqs de combat / nous pleurons ensemble la nuit / Nous faisons partie de la même famille aux ramifications proliférantes.

Caïmans avides / caïmans voraces / caïmans à la gorge fétide / ils souillent l'eau des rivières et des sources. Depuis des semaines, nos enfants malades gardent le lit ; ils s'excitent, se redressent, s'asseyent, se recouchent, se recroquevillent. La soif et la faim leur font prendre toutes les postures.

Crépitement dévoilant la gloutonnerie des flammes.

Avec le temps, nous finirons par connaître les vices de la clé dans la serrure, et nous donnerons forme aux voix cachées derrière les murs. Sifflements des serpents lovés autour des traverses du faîtage. Avant de nous coucher, nous allumons un feu de brindilles dont la fumée chasse les maudites bêtes de notre demeure. Un coq ventru et balourd a capitulé au premier affrontement ; nous disposerons plus tard de son corps. Quel sort lui réservons-nous ? Épouvantable échec et déceptions amères.

Lumières inquiètes de la fête. Le vent éparpille la musique criarde des fresaies. Grincement d'os à l'intérieur du corps. Carmeleau et Philogène, deux maîtres-marcheurs inséparables. Sans être des éleveurs de coqs de combat, ils participent à tous les dézafis. À pied, ils voyagent à travers tous les coins et recoins du pays, attentifs à toutes les nuances des paysages, interrogeant le ciel des provinces, examinant les arbres, la pluie, le soleil et les flaques de boue. Blessures à la langue. Cris inarticulés au fond de la gorge.

Les vagues n'arrêtent pas de mourir sur la plage à Ravine-Sèche. Façades de chaumières lépreuses. Une végétation de flammes s'épanouit.

Roulements de tambours. Bruits de foule. La mer percute les rochers gris.

Le caret blessé expulse ses œufs sur le sable ; puis, il s'éloigne au-delà des flots bleus pour crever au fond d'un abysse.

Cauchemar sur un fond effrayant d'immuabilité.

Qu'entrevoit l'œil effaré du poisson qui se débat hors de l'eau entre les mailles de la mort ? Nous imaginons la clameur lointaine d'un rassemblement populaire.

Naissance entremêlée d'ombre. Lourdeur de nos pas vers un horizon brouillé. Le vent nous apporte les voix assourdies de la multitude rassemblée à l'intérieur de la gallière. Nous misons sur le coq au plumage écarlate ; traînant ses ailes sur le sol poussiéreux, tourbillonnant dans l'arène jusqu'à soûler son adversaire, il n'attaque jamais le premier ; par tactique, il fait semblant de fuir le combat.

De fabuleux paris s'engagent au cours du dézafi.
Dispute orageuse / Explosion de violences / Coups et contrecoups. Le malfini s'éloigne entre les nuages et l'azur ; puis soudain il surgit, fonce en piqué sur les poulets imprudents. Au réveil, nos plus beaux rêves s'estompent, les cauchemars surnagent. La conversation entre Philogène et Carmeleau tourne interminablement autour des combats de coqs. Nous nous couchons, chaque nuit, rongés par la douleur des abcès énigmatiques. Dans notre sang, l'indéracinable fièvre. Bouillonnement à l'intérieur de l'arène sous un midi écrasant de lumière et de chaleur.

Le baka s'est installé sur la jarre emplie de carolus et de doublons. Sur la ligne d'horizon, la lune glisse dans le bleu délavé du ciel ; très tôt, à l'aube, les zombis emboîtent le pas à leur ombre aveugle. Invariables misères. Peur / sueurs froides / vertige / épreuves d'endurcissement. De fragiles oiseaux se projettent en plein vol dans notre chair ; nos blessures ouvertes tardent à se cicatriser. Zofer lève le poing, frappe à la poitrine un zombi qui se tord de douleur ; puis, il dégaine un poignard et lui tranche la langue. Méfions-nous du caïman rampant en silence parmi les fleurs sauvages ; flairant sa proie, il ouvre la gueule de temps en temps. Fêlure de la cheville / Luxation des hanches / Que de détours et d'enjambées pour l'entrecroisement et la rencontre ! / Inimaginable violence / Avalanche de pierres / Aboiements de chiens / Ouragan de coups de pattes / Yeux crevés / Crêtes ensanglantées / Bousculades / Dislocation des épaules / Culs de bouteilles brisées en dentelle massacrant les cuisses et les fesses / Les coqs batailleurs sautillent, voltigent, courent de travers. Après le scandaleux combat, nous appliquons des plaques enduites de gomme sur les parties tuméfiées de notre corps.

Entrelacement de branches d'arbres au fond d'une vieille cour. Un soir, après une averse, dans le quartier du Sacré-Cœur, s'ouvrent pour une fois les portes et les fenêtres de la vieille maison haute, en vétusté depuis longtemps. Éclairage sombre. Le vent venu de la mer souffle à travers les branches du mapou, agite le feuillage du manguier, chatouille les rideaux dont les ailes se balancent mollement derrière les jalousies. À l'intérieur d'une chambre peinte en bleu, le bourgeonnement clignotant de la flamme d'une bougie. Solitaire, le vieux Gédéon, étendu sur le dos, regarde fixement le plafond. Les yeux bien ouverts, il s'égare dans la brume des rêveries.

Sous la cendre vive, dans les tourbillons de poussière, pardelà les vagues et les colonnes de fumée, au-delà de la grise frondaison des nuages, à travers les grains de sable, nous plongeons nos doigts. Les yeux écarquillés. En transe. Nous quêtons fiévreusement. Tant de secrets, trop lourds à porter, nous tourmentent la conscience, nous picotent la langue, nous brûlent les lèvres. Nous regardons crûment, avec une insistance à nous irriter les paupières. Surmontant nos douleurs, trépignant de rage, exaspérés par l'envie de parler, nous continuons à regarder.
Le sang se coagule sur les galets. Des flots d'idées bouillonnent dans notre tête. Au fond de notre gorge, un embouteillage de mots, un fouillis de paroles. Excitation et défoulement. Roulements de tambours venus de loin. Nos cheveux se dressent dans un temps enfourraillé d'angoisse. Un vent furieux souffle jusqu'à couvrir notre voix. Avant de nous engager, nous devrions nous purger l'âme de toutes les salissures, débarrasser nos pensées des séquelles du maldiocre, anéantir le virus de la peur, neutraliser les

madichons, détruire les germes du vice, enlever les pichons accrochés à notre plumage, exterminer les bestioles qui infestent le creux de nos aisselles.

Le voyage peut durer longtemps encore, avec d'innombrables détours imprévus. Il nous faudra soulager notre poitrine d'un grand poids, décharger notre conscience, vomir les répugnantes glaires qui encombrent nos bronches, remplir d'eau pure nos calebasses, armer puissamment nos bras pour terrasser les bêtes féroces qui tenteraient de nous éventrer en cours de route. Nous vivons une époque innommable. Pour étayer nos souvenirs, nous devrions parler à nous-mêmes à chaque carrefour, avant de poursuivre le voyage. En cours de route, happer la lumière, frôler l'échec, voguer à l'aventure, reprendre pied au hasard des éclaircies. De toute manière, certaines expériences ne sont plus à renouveler, tant que nous n'aurons pas rompu les chaînes de la solitude amarrées à la nuit du doute.

Au petit jour, par l'entrebâillement d'une fenêtre, apparaît la tête du vieux Gédéon. Mâchoires proéminentes. Visage anguleux. Il regarde. La cour de la vieille maison est toute jonchée de feuilles de mapou et de pelures de mangues. Gédéon commence aussitôt à grommeler des injures entre les dents. Tonnerre de Dieu! Rita la peste! C'est foutre exprès qu'elle n'a pas balayé la cour!

— Rita!

— Plaît-il, tonton.

— Débarrasse la cour de ces amas de détritus.

— Oui, tonton.

— J'en ai assez de te faire les mêmes recommandations chaque matin. Si tu penses pouvoir me rendre fou, si tu as le projet secret de me virer l'horloge, je te conseille d'en démordre tout de suite. Je pourrais t'expédier immédiatement à ton obscur village de Bois-Neuf. À Ravine-Sèche, où tu iras bouffer les boyaux de la vache enragée.

— Oui, tonton.

— Nettoie-moi la cour bien proprement.

— Le manche à balai s'est brisé, tonton.

— Cela te regarde. Débrouille-toi. Enlève toutes les feuilles, toutes les pelures de mangues dans la cour. Sinon, je te flanquerai une magistrale fessée.

— Oui, tonton.

Miroir empoussiéré. Flou de la vision. Enflure de nos paupières après tant de nuits blanches. Nos yeux sont voilés par des toiles d'araignées. Profondes blessures d'où s'échappe notre sang. La terre assouvit sa soif de violence. Sous la cendre vive, au milieu des braises, dans l'ardeur du feu, se nouent de secrètes alliances entre l'éclatement du maïs et le crépitement du sel. L'amour et la mort, côte à côte dans le même lit. D'abord, la transparence de la tendresse. Ensuite, les égratignures, les griffes du remords.

L'absence, chemin de l'oubli. L'absence, hantise, archipel des dents du souvenir. Les chemins s'entrelacent dans tous les sens. Exercices et tours de manège à un carrefour sans nom. Cheval attaché au poteau. Cheval libre dans la savane. Il pleut à verse. Prélude à la parturition. Nous nous efforçons de rire pour tenir tête à nos souffrances et tromper nos douleurs.

Chaque matin, dès son réveil, Gédéon apparaît dans l'entrebâillement de la fenêtre, le visage en apostrophe, la mâchoire en promontoire. Il regarde, bougonne, grince des dents, tousse et bâille. Il se racle la gorge, lance deux jets de salive épaisse, se décroche la mâchoire de travers en hurlant dans la maison le nom de la petite domestique.

— Rita !

— Oui, tonton.

— Sers-moi mon café.

— Oui, tonton.

— Verse dans la tasse deux cuillerées de sucre.

— Oui, tonton.

— N'oublie pas ma tisane.

— Oui, tonton.

— Mes deux prises de tabac.

— Oui, tonton.

— Mon eau bouillante.

— Oui, tonton.

— Mon bain aux feuilles d'oranger.

— Oui, tonton.

— Mon savon au goudron végétal.

— Oui, tonton.

— Vérifie si la cuvette en émail n'est pas trouée.

— Oui, tonton.

— Tonnerre ! Cesse donc de m'appeler tonton !

— Oui, monsieur Gédéon.

— Fillette de mon cul ! Le temps presse. Grouille-toi un peu.

— Tout sera prêt immédiatement, monsieur Gédéon.

Saut périlleux. Foulure. La blessure à la cheville s'envenime. Ô fermentation de l'âme trempée dans la douleur ! Coule la sueur à notre front, sur les ailes du nez, à l'entour de nos lèvres, sous le menton, sur notre poitrine, au creux de l'aisselle, par les renflements de l'échine, entre les côtes, jusqu'à la hanche. La sueur dégouline, dessine le contour des seins, remplit le creux du nombril, rampe sur le pubis, traverse la région de l'aine, sillonne l'étendue des cuisses, se précipite jusqu'aux orteils. Eau lustrale, la sueur se répand sur tout notre corps. Ah ! Que de crevasses aux cristaux chatoyants !

Chemins musqués à repères de sel. Chemins où coule un breuvage plus amer que du fiel. Vivre n'est pas facile. Nous dormons toutes les nuits dans une solitude enténébrée de peur. Quand nous nous réveillons à l'aube, la majeure partie de nos rêves patinent dans la glu du réel. Mais, l'espoir ne meurt pas sous la cendre. Les

poules ont regagné leurs nids pour la couvaison des œufs. Dans la
trame brouillée des fêtes obscures, nous n'arrivons plus à discerner
les innocents des coupables, ni les justes des méchants.

Les paroles livrées au vent se décolorent, encore qu'elles fassent
couler des flots de sang d'un rouge vif. Demain, nous sellerons nos
chevaux ; nos voix enjamberont l'étagement des routes. Élan de la
langue. La parole allume les feux du désir. Observons en écoutant.
Apprenons à méditer en plein tourbillon. Dans la longue attente,
l'appétit aiguise nos dents. Les dangers et les pièges abondent sur
toutes les routes. Si nous résistons aux spirales du vertige et que
nous ne disparaissions pas dans de sombres entonnoirs, nous pour-
rons nous enorgueillir d'avoir mûri de plusieurs saisons. Dans
l'interminable attente, nos désirs violemment s'avivent.

Extrême lassitude. Crise de colère. Jérôme est fatigué de vivre
enfermé dans une cachette. Sa tête, une fournaise, un volcan où
s'entrechoquent des éclats d'idées dans un magma d'images.
Suspense. Fièvre de l'attente. Quelquefois, par un trou du grenier, il risque un œil mi-clos pour capter un bref aperçu de la
vie au-dehors. Débordement d'imagination. Éparpillement
de pensées. Flots de rêves fulgurants. Délire de cheval mis aux
fers. Qu'est-ce qui me tourmente à ce point ? Qu'est-ce qui me
brasse ainsi la cervelle ? Ça fait des jours que je n'ai pas savouré
les fruits ardents du soleil. Les farouches lanciers du malheur
ont assiégé mon corps lacéré de douleurs. Rires et grimaces.
Horribles grincements de dents. Par moments, je me sens vidé
de toute substance. J'ai soif de lumière et d'espace. Au fond des
yeux du serpent, brillent des éclairs avivés par l'imminence du
danger. Rafale d'étincelles. Flux de paroles. Le piège est tendu
inexorablement à tous les chevaliers de la marche qui ne craignent pas de courtiser la vie. La faim est toujours terrible, même
pour le macabre et vorace Tête-Sans-Corps qui court après
son ombre.

Recroquevillé dans un coin, à l'intérieur d'un galetas, toute la journée, Jérôme ne cesse de regarder par les interstices des panneaux. Quelle existence! La vie, pire qu'un cercueil-madouleur. Les maringouins banjolisent à ses oreilles agacées; les bigailles exécutent des rondes acrobatiques autour de son visage; les rats dansent la kalinda entre ses jambes; les souris, insoucieuses de sa présence, bondissent, virevoltent, sautillent, disparaissent, et puis reviennent en sifflant.

Chemin scabreux. Nous gravissons un calvaire. À Ravine-Sèche, du côté de Bois-Neuf, la vie n'est pas du tout facile pour les paysans. Spectacle désolant d'une terre hérissée de cactus, de chardons, de ronces. Stérile végétation de bayahondes. Des plantations de sisal s'étendent, pareilles à d'immenses cimetières peuplés de flèches et de croix menaçantes. Dans le bourg, il n'y a que deux ou trois maisons, recouvertes de tôle, à se distinguer étrangement de l'ensemble des chaumières délabrées.

Sous un pont rouillé, des gosses, assis les bras croisés, regardent couler la rivière couleur d'urine de cheval qui bavarde et chuchote en caressant des émergences d'herbes touffues et des arêtes rocheuses. Les rails de la Compagnie MacDonald des Chemins de Fer s'étirent interminables au milieu de plusieurs bataillons de bananiers. Au loin, la mer et le ciel rivalisent de bleu.

Contresens. Renversement. Refusant le sommeil, les téméraires s'agitent. Stérilité du bavardage, au moment où les chevaux de la colère, abandonnant les pistes désertes et les aires marginales, dégringolent les montagnes, franchissent les plaines, frappent aux portes des villes, tranchent les racines de la mort. Inanité des vaines attentes. Désormais, il n'y aura plus de pause. Alors, décousons nos paupières. Défaisons nos lits. Implantons nos rêves dans le réel. Extirpons la maladie du sommeil de notre sang. Chassons la maudite peur qui nous engourdit les ailes. Il y a longtemps que les cris du coq ont défloré le silence.

Roulements de tambours. Grondements de vaksines. Réso-nances de conques marines. Passe le temps. Ne nous accrochons pas à des branches pourries. Ne nous hâtons pas de parler, pendant que mugit le vent. Apprenons à discerner les sons et les bruits, pour ne pas confondre la rumeur de la pluie avec le rugissement de la tempête. À peine ouvrons-nous la bouche que les tourbillons de poussière changent de sens et que la fumée se dissipe au loin. Apprenons à observer, à écouter.

Nonchalamment appuyé sur la carcasse d'une barque ensablée depuis des années près de l'embouchure, Gaston se réchauffe au soleil. Avec une allure toute de raideur et de lenteur, passe une bourrique aux flancs creusés par la maigreur, le dos couvert de plaies. Attachée au cou de l'âne, une corde pourrie traîne entre ses jambes grêles, en soulevant une frange de poussière. Tant de langueur et d'apathie! On dirait une créature à laquelle un zombi aurait communiqué son inertie et sa torpeur. Quelques minutes après, surgit dans le même sentier la maîtresse de la pauvre bourrique.

— Gaston! Quel jeune homme fainéant! Ta paresse est sans bornes. Décidément, tu ne veux rendre aucun service. Tu préfères te réchauffer au soleil. Toute la journée, tu ne fais que bâiller aux corneilles, jouer aux dés, t'enivrer de tafia. Ce matin, tu t'es réveillé sans même me dire bonjour.

— Tante Louisina, je t'ai saluée, j'en suis certain. Tu chevauchais peut-être des nuages d'outre-mer, alors, tu ne m'as pas entendu.

— Tu veux te moquer de moi, petit insolent! Pourquoi ne confesses-tu pas tes sales défauts?

— Mais lesquels, Tante Louisina?

— Tu portes lestement la main à la bouche pour manger, tandis que tu refuses de franchir ne serait-ce qu'un demi-mètre pour te rendre utile aux autres. À mon âge, voilà que je m'esquinte à travailler pour remplir la panse des ingrats! Je me tue à sarcler, à planter, à arroser une terre aride. S'il me fallait compter sur toi, il y a belle dérive que le jardin aurait dépéri. Peste! Tu es une vermine, autant que ton père qui a ruiné la malheureuse Anita, ma pauvre sœur. Et puis, ton sacré père, il a foutu le camp, après avoir semé la maudite graine dans la famille. Toi, tu ne fous rien. Tu n'as jamais voulu m'aider. Tu ne veux rendre aucun service. Tu n'as de goût que pour la bouffe. Désobligeant! Vorace! Mauvaise graine! Désœuvré! Tu es d'un appétit dévorant, alors que ta mémoire te fait toujours défaut. La mangeaille t'a paralysé la cervelle. Tu es bien le roi des fainéants!

Résolument, nous frappons les tambours de l'orage, de toutes nos forces. Sous le choc imprévisible, s'allume à nos trousses un feu intense qui nous pousse à brûler les étapes. Vertigineuse accélération pour la récupération du temps perdu. Nous disons : que tombent toutes les barrières sous les sabots de la lumière !

Peinant par des sentiers raboteux et pierreux, nous ne reculons pas devant les embûches. Aucune lassitude ne parviendra à désamorcer notre ardeur. Le soleil et la terre, complices du même jeu. Au bord de la route, deux ombres s'enlacent. Par anticipation, nous allons vivre vingt siècles d'amour.

Débitant une litanie d'injures, Louisina suit les sillons tracés par la corde de la bourrique sur le sol poussiéreux. Mutisme de la part de Gaston, plongé dans une sorte de rumination et de remâchement de son existence obscure. Rien, absolument rien ne me retient ici. À Ravine-Sèche, toutes les démarches, toutes les acrobaties se ramènent à la folle tentative de vouloir combler l'océan. Tondus, écorchés, tannés par une implacable misère, les paysans végètent, crèvent, se dégigotent pour rien. Bourriquant invariablement, de la naissance à la mort. Il n'y a qu'un moyen pour moi d'échapper à ce cycle infernal, c'est d'aller vivre ailleurs. En ville. À la capitale. À Port-au-Prince.

Depuis douze ans que je m'efforce de sortir de la sordide indigence, ma drôle de vie n'a pas changé d'un iota. Il ne sert à rien de s'épuiser dans les durs travaux agricoles. La pêche non plus ne rapporte rien. L'année dernière, je me suis échiné à fabriquer des paniers, à tisser des chapeaux, avec l'espoir de les vendre au marché de Saint-Marc ; je n'ai même pas pu réaliser un centime. Les dix orteils au vent, je suis fatigué de marcher nu-pieds au milieu des épines et des chardons. Les années s'accumulent une à une sur mes épaules, au fond de ma tête. Sans m'en avoir rendu compte, j'ai vieilli de quelques récoltes. Me vautrer dans du foin. Dormir comme un lézard. Me réveiller pour ne rien foutre. Aller à la dérive. Me soûler de tafia. Bouffer la cuisine de Tante Louisina. Je n'en peux plus. Ravine-Sèche est pire que l'enfer. Je ne laisserai pas ma peau dans ce trou. Que la foudre du Ciel m'anéantisse, plutôt que de continuer à vivre dans ce bled sans avenir !

Toute l'énigme de la nuit dans un effilochement de nuages injectés de lune. Les étoiles enfouissent leur secret dans un ciel chiffonné. Tant de mauvais rêves à transporter, à jeter dans des poubelles. Nous nous débarrassons difficilement de nos cauchemars. Les épaules recourbées sous le poids des ombres de la mort, nous guettons dans l'eau du miroir ne serait-ce qu'un frisson d'amour. Sous la langue, un grain de sel pour apaiser les affres de la faim. Nous continuerons longtemps encore à courtiser fiévreusement la vie. Un amas de clous, de tessons et de cailloux effilés entaillent profondément les pieds des marcheurs et des lutteurs acharnés. Un murmure imperceptible s'échappe des ténèbres ; amplifié par le vent, il se dilate à la limite d'un scandale. Au plus profond de nous-mêmes, une cohorte d'idées et de rêves piaffe dans l'accélération de nos pas, décuplant ainsi notre ardeur de maîtres-marcheurs. S'il advient des divergences au cours du voyage, de quel côté de la route faudra-t-il nous ranger ? La cavalerie de l'orage se déchaîne. Personne ne tremble devant les menaces des lanceurs-à-la-corde.

Les sambas interprètent des chants à nous recharger l'âme.
Nous répondons à l'unisson. Pour ne pas perdre la face, le soleil
se met de la partie. Partouze au sein des foules en éveil. Le soleil a
pondu un œuf multicolore qui roule sans arrêt, sans se briser, dans
la savane. Un œuf qui traverse les marécages, enjambe les portails,
pirouette sur les trottoirs, tombe et rebondit sur le macadam des
villes, se transforme en un immense ballon rouge et vert entouré
d'une infinité d'autres ballons plus petits qui se meuvent dans tous
les sens, voltigent vivement sur des tessons, tourbillonnent dans
un espace piégé, une enceinte quadrillée de lames de rasoir et de
catchapicas, puis défoncent les portes des maisons, pour se répandre
en tous lieux, sans jamais crever.

Douleur de la pierre brûlée au soleil. Animal d'attelage. Bête de somme. Rita est assujettie à une corvée quotidienne. Sous le joug de la domesticité, elle n'a pas une minute de pause, tant la tyrannie du vieux Gédéon est implacable. Petite girouette soumise aux caprices de son maître, elle ne finit jamais de gravir et de descendre l'escalier de la vieille maison, en même temps qu'elle est astreinte à balayer les chambres, à épousseter les meubles, à nettoyer le plancher. Plusieurs fois par jour. À genoux. Le dos voûté. Debout. Les reins tordus de fatigue. Sans jamais pouvoir s'arrêter. Qui pis est, satisfaire les goûts culinaires de Gédéon équivaudrait à grimper un mâtsuiffé pour du vent.

— Rita !
— Plaît-il, tonton.
— Les cloches de l'église du Sacré-Cœur ont depuis longtemps sonné les douze coups de midi.
— Oui, tonton.
— Dépêche-toi à la cuisine.
— Oui, tonton.
Sans perdre de temps, Rita arrange convenablement les plats, la cuiller, le couteau, la fourchette, avant de servir la nourriture. Gédéon introduit nonchalamment ses pieds dans

une paire de pantoufles, et, à pas lents, se traîne jusqu'à la table. Juste au moment où il s'assied, les cloches du Sacré-Cœur commencent à sonner. Elles sonnent... Douze coups successifs. Gédéon s'énerve aussitôt. Il regarde le couvert. Un coup d'œil dédaigneux. Un dur battement de paupières. Il se détourne de la table. Puis, il regarde à nouveau, avant de se résoudre à manger. L'air contrarié. Grommelant des injures entrecoupées d'onomatopées, ponctuées de tics sonores.

— Rita !

— Plaît-il, tonton.

— Les mets sont apprêtés de manière médiocre.

— Oui, tonton.

— La nourriture est mal préparée.

— Oui, tonton.

— Exécrablement présentée.

— Oui, tonton.

— Où donc as-tu la tête ? Tâche au moins de servir des plats agréables à voir.

— Oui, tonton.

— Cesse donc de bâcler la cuisson, de saloper les aliments à la cuisine.

— Oui, tonton.

— La banane est aussi raide qu'un morceau de bois.

— Oui, tonton.

— La patate ressemble à du madrier.

— Oui, tonton.

— La viande est plus coriace qu'une fesse de singe.

— Oui, tonton.

Les mâchoires de Gédéon craquent en broyant la banane.

Autant il mange, autant il vomit de grossières injures accompagnées de rots bruyants.

— Fillette de mon cul ! Tu n'as pas laissé crever le pois.

— Oui, tonton.

— La sauce est pire que de l'eau saumâtre.

— Oui, tonton.

— Et puis, où est passé le gratin de riz ?

— Il est resté au fond du chaudron, tonton.

— Racle la cocotte, et sers-moi tout le gratin.

— Oui, tonton.

— Ensuite, apporte-moi une timbale d'eau glacée.

— Oui, tonton.

— Tonnerre de tomate verte ! Je te flanquerai, un de ces jours, une belle raclée pour arracher de ta sale gueule cette vilaine manie de me dire tonton.

— Oui, monsieur Gédéon.

Lune en pleine ceinture. Croisement d'étoiles au creux du nombril de la femelle pour un dialogue mêlé de moelle et de sexe. Au plus profond de l'igname, un secret tissé de fibres. Le couteau saura-t-il jamais les mystères de la chair ? Les galets des rivières, les pierres embuées de rosée ignorent la douleur des cailloux exposés au soleil. Roches dilatées sous la chaleur des flammes. Roches éclatées sous le feu. Rappelons-nous que les ramures de la fumée ne sont pas des bouquets de fleurs. La fumée monte légère, danse, virevolte, tourbillonne, s'évapore sans faire grand cas des plumes de l'oiseau qui grillent en grésillant dans le feu vif. Paraphe de la fumée, vêvê de la mort.

Un tourbillon de mouches voraces nous darde et nous dévore la cervelle jusqu'au noyau. Nos oreilles bourdonnent. Nos cheveux se hérissent. Les fresaies hululent, sinistre présage. La race des marcheurs traverse une passe difficile. Imminence du danger. Le malheur suspendu à un fil. La race des noctambules court de graves périls. Épreuves quasi insurmontables. Pourtant, vêtus de pantalons aux jambes retroussées jusqu'aux genoux, nous chevauchons la foudre. La taille serrée vigoureusement, nous redoublons d'audace pour pouvoir tenir jusqu'à l'ultime saison du maïs mûr.

Nous invoquons le soleil, notre allié, notre complice. Au moment de l'affrontement décisif dans les vastes savanes où s'entrechoquent avec fracas des cornes menaçantes, dans la bleue déchirure de l'espace où se répercute le cliquetis des armes, la terre soudain saigne dans un jaillissement de clartés. Nous frissonnons de toute notre âme. Le jour se lève. Les portes s'ouvrent.

À Bois-Neuf, sous une tonnelle, chez Faby, une incomparable banque de jeu fonctionne dans une ambiance survoltée, chaque jour à partir de midi. Installé à son aise sur une vieille chaise en paille, Gaston y participe follement. Aux premiers coups de dés, il est déjà présent. Une pinte de clairin vierge à demi-fourrée dans la poche fessière de son pantalon. Une casquette, d'un rouge délavé, inclinée sur son oreille droite.

En ce jour du samedi, aussi terrible que le dieu Agarou, Gaston met en branle toute son artillerie de joueur. Dans ses veines, un bouillonnement de passions. Le feu brûlant du clairin. Du fond de ses yeux, jaillissent des éclairs. Comme sous l'emprise d'un loa sauvage, il se déchaîne, en plein jour. Impitoyable pour tous ses adversaires. Lançant les dés, à la fois avec une rage, une agilité et une élégance déconcertantes.

Sur la table de jeu, l'argent est étalé à profusion. Les ouvriers de la Compagnie MacDonald des Chemins de Fer et ceux de la Shada viennent juste d'empocher leur salaire hebdomadaire. Les mises augmentent. De plus en plus. Faby, le tenancier du tripot, rit à gorge grasse en ramassant les primes prélevées sur chaque partie. Par moments, la bagarre risque de se déclencher. Grêle d'injures. Menaces de couteaux et de bâtons. Gorgées de tafia avalées à la file. Interminable succession de joueurs qui viennent, s'en vont, reviennent, passent et repassent. De pied ferme, Gaston se cramponne à la table de jeu, un peu grisé par tant de triomphes imprévus.

Au crépuscule, Faby fait allumer deux lanternes. Un quart d'heure plus tard, s'amène Antonin qui voudrait prendre part au jeu sous la tonnelle.

— Je sollicite une partie de dés, avec la permission de Maître Legba et de Papa Ogoun.

Tous les joueurs relèvent la tête, sans dire un mot. Dans la région, Antonin passe pour un spécialiste des jeux de hasard, un maître invincible. De Montrouis à Portail-Guêpe, il se promène dans les différents centres de jeu, sans jamais perdre une partie. En définitive, amateurs et professionnels refusent de se mesurer à lui. Il est toujours le suprême gagnant, celui qui fait sauter les banques de jeu. Ses coups de dés provoquent généralement de redoutables désastres dans le camp de ses adversaires. Sa simple présence suffit à déclencher une véritable panique autour d'une table de jeu. Dans toute la contrée, persiste la rumeur selon laquelle Antonin aurait sacrifié son premier fils chez un bôkor, pour pouvoir acquérir en échange le don d'infaillibilité aux dés. Aussi, le considère-t-on, à juste titre, comme le roi, le pape incontestable des jeux de hasard.

— Je sollicite une partie de dés, au nom de Maître Legba et de Papa Ogoun.

Personne ne relève le défi. Tous les joueurs abandonnent la table de jeu. Sauf Gaston. Alors, retournant une chaise sur laquelle il s'assied à contresens, Antonin plante un regard d'acier dans les yeux de Gaston.

— Petit impertinent! De combien d'argent disposerais-tu? À quelle hauteur peux-tu sauter avec des jambes si frêles? Tu es un aveugle imprudent. Tu marches avec ton cercueil sur les épaules à travers un chemin rocailleux bordé de précipices.

Gaston évalue son avoir en comptant une pile de pièces de monnaie, ainsi que les billets d'une gourde. Il avale une gorgée de tafia, la bouche tordue, crispée de grimace. D'une voix sèche, il répond.

— Un coup de dés pour cinquante gourdes. Pas plus. Pas moins. J'y vais le premier.

— Vas-y, petit audacieux! Je t'en ferai voir de toutes les couleurs. Tu vas en crever. Tu ne t'en sortiras pas. Je vais te manger tout cru.

Gaston empoigne prestement le cornet à dés. Avec rage, il le frappe sur la table. Un dé, trébuchant, se dirige de biais vers la gauche, accuse quatre points. L'autre, roulant vers la droite, indique trois points.

— Certitude que cela me vaut sept points.

À son tour, Antonin empoigne le cornet. Au moment où il commence à l'agiter, ses yeux se révulsent, injectés de sang vif. Son visage subit une horrible métamorphose. Il frappe le cornet de toutes ses forces. Les dés, éjectés violemment, bondissent en tournoyant, tels deux chiens fous de vertige ; ils tournent, tourbillonnent, dansent. Merveille de souplesse et de rythme. Ils rasent élégamment les bordures de la table, avant de s'arrêter tous deux à six points.

— Cela me donne douze, en douceur.

Avec des doigts de proie, Antonin se précipite sur la mise. Il promène son regard sur le cercle des spectateurs, en faisant craquer bruyamment ses deux pouces.

— Je sollicite d'un autre joueur une partie de dés. Une seule partie de dés ! Qui veut danser avec le diable au bord du feu ?

Personne ne lui répond. Faby, le maître de jeu, se gratte la tête. Tous les joueurs se retirent. Gaston se lève de la table, l'air égaré. Il palpe au fond de sa poche une pièce de vingt centimes.

Abattu par l'échec, il se tape les fesses de dépit. Puis, il s'en va tout droit chez Louisina.

Ventresse, coup de fouet appliqué en plein ventre, choc brutal au flanc de la montagne pour un jaillissement d'eau, là où les pierres s'avivent dans un corps de flammes, éclatent sous les dents du soleil. Tout au fond de nous, persiste la maudite saison. Notre sang s'agite à fleur de peau ; il nous monte à la tête, nous engourdit les pieds, remonte précipitamment, se faufile dans les jointures. Étendus dans un nid de fourmis, nous tressaillons jusqu'à la moelle.

Notre mémoire est enfouie dans notre âme. Ah! Comme elles nous brûlent, les cicatrices du cœur! Nous nous en souviendrons. L'appel et le refus. Le calvaire et son supplice. Blessure profonde. Coup mortel. À l'ancrage du cœur, le bourgeonnement de la mémoire. Les dissonances des côtes décharnées et leur musique rauque, tel un hymne lugubre à la misère. Saison des poignards. Interminable saison de barbarie. Une multitude d'oiseaux se sont enfuis. Mais, la mémoire se recycle aux sources du cœur.

Chaque samedi matin, Rita s'approvisionne en vivres au marché de la Croix-des-Bossales. L'invariable litanie alimentaire à laquelle s'accroche Gédéon: le riz aux grains longs, le maïs moulu de Saint-Marc, le haricot rouge, la viande de bœuf, le petit-salé, la banane, la pomme de terre, l'igname, les légumes. Pas de musardise. Acheter en un tournemain. En cours de route, Rita regarde les gosses de son âge s'amuser en pleine rue. Désir fou. Le rythme de son cœur s'accélère. Brusquement jaillies du fond de sa conscience, l'image et la voix de Gédéon font surface. Les réprimandes. Les injures. Crispation de l'âme. Crainte. Aigreur. Chagrin. Et elle retient difficilement ses larmes.

Parfois, Rita regarde les pancartes, les enseignes qui foisonnent dans les rues. Ne sachant pas lire, elle ne comprend pas. Elle ne comprend rien. Les lettres de l'alphabet, tels des mouches, des fourmis, des maringouins, des libellules, des vonvons, des vingt-quatre-heures, des papillons, des couleuvres, des anolis, des colibris, des tiges de canne à sucre, des palmes, des plumes d'oiseaux, s'entrelacent dans une danse étincelante dont Rita ne parvient jamais à dégager le sens. Pourtant, chaque fois qu'elle regarde ces sortes de signes, elle frissonne des pieds à la tête, transportée dans un ailleurs lointain, jusqu'aux frontières de l'inconnu. Ensuite, elle dégringole, plonge au fond des mers où elle rencontre la Maîtresse-des-eaux.

— Ô belle Sirène! Emporte-moi sur ton dos.

— Les ignorants analphabètes n'entrent pas dans mon royaume.

— Et s'il m'arrive, ô Sirène, de retrouver ton peigne, en cherchant, en recherchant, en fouillant partout ?

— Tu cesserais de regarder à travers des bouteilles noires. Tu sortirais des ténèbres. Tu saurais sur quel pied danser.

— J'ai soif de lumière. Je te supplie, ô Sirène, de me conduire dans ton royaume de clarté. Tends-moi la main, je t'en prie, belle Sirène !

— Apprends à tracer des vêvês. Apprends à écrire. Je te porterai sur mon dos. Je t'emmènerai dans mon palais d'or et de lumière.

Rita éprouve un vertige hallucinant, avec la sensation qu'un moulin lui broie la cervelle. Les avertisseurs d'un camion retentissent. Elle sursaute près du trottoir, et reprend ses sens. Arrivée au marché, elle s'empresse d'exécuter les achats, pour regagner aussitôt la vieille maison de Gédéon. Reprendre l'interminable calvaire. Gravir et descendre l'escalier, plusieurs fois par jour. Cuisiner. Servir la nourriture et l'eau. Balayer la cour. Nettoyer les chambres. Lessiver. Repasser les linges. Épousseter les meubles. Cirer le parquet. Torréfier le café. Avaler des flots d'injures. S'étioler dans un coin. L'existence de la petite Rita se ramène au fond à grimper une échelle à laquelle manqueraient plusieurs barreaux. Sa vie, un épouvantable mât-suiffé.

Le jeu et l'enjeu. Les disputes s'enveniment. Des coqs de combat, harcelés par une grêle de coups aux salières, s'envolent hors de l'arène. L'espace d'une nuit, la chair mutilée se gangrène, grouille de vers, attire les mouches. Des chiens affamés furètent, farfouillent dans des piles d'immondices. Il suffit d'un rien pour que la mort revienne à vive allure s'installer au seuil de nos portes. Et, navrante illusion, les superficiels, les naïfs croient pouvoir se prémunir contre le fatum par les sortilèges, les macaqueries et les mensonges d'un déterreur d'ombres.

Poignards dégainés pour éventrer le cheval maudit. Ses entrailles ouvertes baignent dans la poussière et le sang coagulé. Les grandes faims ne dédaignent guère la chair aux relents de pourriture. Terribles faims devenues adultes et meurtrières. La guerre et la mort nouent d'indissolubles alliances.

Entre le sommeil et l'instant du réveil, un sursaut d'émotion. Nous entendons, venue de loin, une voix étouffée nous appeler dans un govi. Nous n'y avons pas répondu. Toute la volaille s'est juchée sur des branches d'arbres ; nous ne percevons qu'un vent fugitif et sporadique. Sous un tamarinier, deux ombres s'enlacent furtivement dans le noir. Toute la nuit, les chiens poussent des hurlements lugubres. L'amour flaire la mort. Un chat franchit d'un bond la clôture. Une fresaie s'envole aux alentours de la maison. Les gosses effrayés se recouvrent la tête sous un amas de haillons. Il nous faudra nous réveiller avant l'éclatement des feux du jour pour reprendre le difficile combat contre les cannibales et les lanceurs armés de cordes et de fouets épineux. Quoi qu'ils fassent, notre image fuira le miroir magique et l'eau de la terrine. Jamais ils ne parviendront à nous transpercer le cœur.

Le vent souffle sans interruption. Balayant la région de Bois-Neuf, il se disperse à travers les champs, s'engouffre dans les chaumières, enjambe la voie ferrée, file au-dessus de la mer, après s'être soûlé de flûte et de vaksine sur l'échine des montagnes. Pris de crise, les arbres se tordent. Convulsions hystériques. Déhanchements. Gesticulations extravagantes. Dans toute la zone, feuilles et branches, inclinées au ras du sol, dansent un yanvalou, sous la poussée du vent. Chuchotements dans la paille sèche et dans les herbes folles. Explosion musicale et feu d'harmonie.

Là-haut, dans le grenier, l'œil rivé à une fente, Jérôme discerne à grand-peine l'environnement extérieur, tant le vent brasse avec furie des jonchées de fatras tout en vannant d'épaisses couches de poussière. Tourne, tourne le moulin rapide des réflexions, des pensées et des images. Un volcan rugit au fond de ma tête. Il y a longtemps que l'envie de hurler me chatouille la gorge. Mes tripes me démangent. Mon ventre se contracte, pris dans l'étau d'une douleur lancinante. Il y a longtemps qu'un tourbillon vertigineux m'emporte. J'ouvre toute grande ma bouche d'où ne sort aucune voix. Je suis bel et bien acculé à avaler mes crachats pour ne pas mourir étouffé de colère sèche.

Nous continuons à chercher. Nous n'avons encore rien trouvé. Nous écumons de rage. Nos cerveaux bouillonnent. Nous parlons en plein sommeil. Nous divaguons en pleine conscience. Persistance onirique. L'habitude de lutter en rêve allume en nous un brasier. L'intervalle d'une nuit, notre mémoire se disperse et se perd. Peu à peu, notre colère s'apaise, s'anéantit. Pourtant, le feu n'est pas éteint. L'espoir couve sous la cendre. Envahis par la fumée d'un feu de bois, nous marchons au milieu d'invisibles flammes. Les entrailles des chiens crevés bâillent. Parler encore. Déparler. Mais, le jour où des paroles de lumière bourgeonneront, fleurs épanouies entre le cœur et les lèvres, le soleil jamais ne se couchera.

Toute une journée, Louisina trime dans le pilage du millet. De temps en temps, elle s'arrête pour reprendre souffle. S'essuyer le visage trempé de sueur à un pan de sa robe. Elle jette un regard sur l'étendue bleue de la mer ; deux voiliers traversent le canal de La Gonâve. Elle lève la tête vers le ciel ; des volées de corbeaux s'orientent vers la montagne. Elle ramène ensuite le regard à l'intérieur de la chaumière ; Gaston, étendu de tout son long sur une natte tressée de paille, dort en ronflant.

— Tonnerre ! Tout mon corps me démange, chaque fois que je vois dormir ce maréchal dégueulasse dans ma vieille bicoque. Gaston ! Tu es foutre le roi des paresseux et des ivrognes ! Tu es une créature déjouée, un détrousseur sans vergogne, un dérangé incurable...

Louisina lâche le pilon et commence aussitôt à frapper le battant de la porte. Gaston se roule en boule sur la natte. Un œil clos, l'autre entrouvert, il se recroqueville sur lui-même, les genoux ramassés sous le ventre. Louisina continue à frapper avec plus de nervosité.

— Soûlard ! Tu cuves ton tafia en dormant depuis hier soir. Tu es rentré très tard. Efforce-toi de te réveiller, de te lever. La chambre est tout empestée par une infecte odeur de clairin. Inconscient ! Incorrigible ! Irrécupérable ! Tu es un os dur à décourager même un chien ! Fils de Satan ! Fous le camp !

— Mais, Tante Louisina, je ne te dérange en rien, que je sache. Je suis resté étendu pour dormir un peu. Me reposer, parce que je suis très fatigué. Dormir n'est pas un crime.

— Ta gueule ! Je parle ! Quand tu n'es pas occupé à avaler du tafia, tu bâilles aux corneilles. Tu ne fais jamais rien. Depuis l'avant-jour, je pile du millet, pendant que toi tu ronfles. Tu as passé toute la journée à jouer aux dés chez Faby. C'est bien toi qui as défoncé la malle pour prendre dans la sacoche les dix gourdes qui ne m'appartiennent même pas. Tu as osé dérober l'argent que l'on m'a confié pour des emplettes. Et ces dix gourdes, tu les as perdues au jeu. Sale voleur ! Tu es plus vicieux qu'un chat. Et, le comble, tu ne facilites la tâche à personne. Tu es un égoïste sans usage et sans forme, un vil maraudeur.

Gaston se lève, s'assied à même le sol, se ratatine dans un coin de la pièce, la tête baissée, les mains à la mâchoire. Louisina continue à pester, à grommeler. Coups de pilon au fond du mortier. Flux de réprimandes et d'injures. Autant elle pile le millet avec rage, autant elle crache d'amers reproches à Gaston qui, volontiers, garde un profond silence.

Le soleil s'est couché. Il va pleuvoir. Surpris au fond des bois par la tempête, nous sommes cernés de toutes parts par des créatures maléfiques. Coincés à un passage étroit, nous risquons de crever d'angoisse. Ne laissons pas la maladie de la peur s'insinuer en nous pour nous miner. Gardons notre calme. Reprenons nos sens.

Depuis quand cherchons-nous ? En plein rêve, nous courtisons la vie ; au réveil, nous lui léchons le corps ; pourtant, nous ne recevons d'elle que déceptions et morsures. Fouillant, farfouillant dans la viscosité de l'absurde pour nous inventer des raisons de vivre, comptant les chiffres blancs de nos illusions, nous frôlons la démence, nous sombrons dans la glu des ténèbres.

Venue de loin, une voix de femme nous parvient faiblement. Nous nous en approchons quelque peu. Au moment où nous pourrions la toucher, elle s'enfuit. Anguille, elle file et glisse entre nos doigts. Puis, à nouveau, nous entendons une voix de femme venue de très loin. Nous bondissons à sa recherche, dans un chemin d'épines et de ronces. Depuis quand cherchons-nous ? Notre mémoire et notre cœur s'égarent dans la fournaise. Pour nous retrouver nous-mêmes sur les pistes du futur, il nous faudra marcher pieds nus sur des braises, franchir des caps dangereux, traverser les vastes aires du malheur.

Là-haut, dans le grenier, à l'affût, Jérôme tend une oreille attentive. Bribes de paroles. Grappes de mots. Au-dehors, la rumeur ondoyante de la mer et le halètement du vent. Quelques paysans, accroupis près d'un tronc d'arbre, bavardent entre eux. Un instant plus tard, Alibé pénètre à l'intérieur de la chaumière.

— Compère Jérôme, comment as-tu bouclé la journée dans le galetas ?

— Couci-couça, vieux frère. Toi, comment tu t'es dépêtré avec ce vent enragé ?

— Le vent a exécuté de spectaculaires voltiges et des cabrioles en parcourant la plaine, lançant partout de violents coups de sabots. Ah ! Mon impuissance ! Mes vaines colères ! J'ai trépigné en voyant des colonnes de bananiers fauchés à plat sur le sol. Par endroits, le vent a écorché le jardin à vif.

— De ce côté-ci, il a rué, pire qu'un mulet sauvage, égratignant le toit de chaume.

— Il fait nuit noire, compère Jérôme. Je vais placer l'échelle. Tu pourras descendre du galetas, tout à l'heure.

L'existence de Jérôme se ramène à un curieux calvaire. Devoir se réveiller avant l'aube. Grimper l'échelle avant le lever du soleil. Passer la journée, recroquevillé dans un coin du grenier. Le soir, descendre l'échelle après la tombée de la nuit. L'épreuve de l'échelle se révèle pire qu'un châtiment. Les tourments de l'enfer. L'épuisement. Parfois, aux bords des larmes, Jérôme ne peut se souvenir fidèlement des événements de sa propre vie ; il ne comprend même pas comment ni pourquoi il a commencé à s'entortiller les jambes autour des barreaux de l'échelle. Toujours le même supplice se déroulant sur le rythme binaire de l'escalade et de la dégringolade. La nuit, en plein sommeil, il est contraint de se réveiller au moindre bruit, de sauter du lit pour grimper l'échelle. Souvent, sans raison. Qu'une chèvre se frotte les cornes à un poteau, qu'un porc se gratte les oreilles contre la porte, qu'une vache en vienne à rompre sa corde d'attache, qu'une bourrique hennisse ou que des chiens aboient... l'inévitable course au pied de l'échelle se déclenche automatiquement. Précipitation. Étrange gymnastique dans un enclos exigu. Déroutantes acrobaties. Certaines nuits, Jérôme se sent à bout de forces. Réveillé en sursaut, il s'énerve, trépigne, s'arrache les cheveux, s'écorche le visage, se roule par terre, éclate en sanglots. Puis, l'air déglingué, marionnette désarticulée, il se tient le bas-ventre, comme emporté dans une irrésistible crise de rire à laquelle n'échappe point Alibé. Une sorte de rire hystérique. Rire de défoulement, jusqu'à l'apaisement de ses angoisses, la lente récupération de ses forces, la plénitude de sa conscience. Décharge paradoxale de rires et de sanglots.

— Alibé, mon frère, pardonne-moi. Ce n'est point ma faute. Je suis fatigué de l'existence que je mène dans le grenier. L'échelle m'a beaucoup vanné. Il y a des jours où je me sens vidé, au bord de la folie. Sans ton soutien, j'aurais depuis longtemps crevé. Je te dis merci, mon ami-camarade.

— Tais-toi, compère Jérôme. Je te comprends, vieux frère. Aujourd'hui ou demain, nous devons nous aider l'un l'autre. Le sort l'a voulu ainsi. Et, c'est bien normal. Tu n'as pas besoin de m'expliquer ce que tu ressens. Je te comprends parfaitement. Nous sommes deux pierres gisant au même endroit, sous le même soleil, dans le même feu dévorant.

D'entrée de jeu, le coq du voisin a reçu trois coups terribles ; il lui faudra redoubler d'ardeur pour ne pas perdre le combat. Mordre les mamelles de la vache pour que coule un mélange de lait et de sang dans la chimie nocturne des douleurs.

Intrusion inopportune dans une bataille de fous en colère et de chiens enragés. Évitons les coups mortels.

Masse de plomb fondu, la mer bout sous le soleil de midi. Fleurs d'eau / Fleurs bruissantes / Fleurs fragiles nées de l'écume / Chuintement d'éternité / Buissonnement de feux fugaces / Miroitement d'écailles et de nageoires / Le poisson va mordre à l'hameçon / Pourquoi ne pas attendre les premières secousses de la ligne ? Glissade sur des pelures de figues. Jambes cagneuses. Démarche tordue. Le roi des cocus languit sous le poids d'une forêt de cornes. Des fresaies sillonnent les ténèbres et glissent au-dessus des toits avec des hululements perçants.

L'indiscrétion des lèvres en un essaim de paroles et de bulles de savon. Le samba ne répondra plus aux trivialités et aux ricanements des jaloux. Le visage marqué par l'agression, le corps blessé en de nombreux endroits, nous nous tordons de douleur. Ils nous ont brutalisés dans nos plaies. Étourdissement de notre coq assailli de coups d'ergots. Nourris de flamme et de sang, gonflés d'ardeur, pleins d'audace, nous bouillonnons de rage.

Avec tant d'avidité à s'immiscer dans nos affaires, jusqu'où ne s'étendraient pas leurs rêves de domination ? / Violence aveugle. / Ils manifestent des désirs fous à vouloir cueillir le soleil avec leurs dents. / Nous franchissons d'affreux précipices. Ils se moquent de nous, en riant à pleine gorge. En seront-ils comblés ? / Sanglant affrontement. / Saintil a attaché les zombis, les deux bras en arrière. / Fleurs saisonnières. / Fleurs vénéneuses. / Une enfilade de poissons pourris. / La prison et les corps ancrés dans la servitude. L'acceptation des chaînes. La faim et ses tenailles. / Ils ont asséné de terribles coups à nos enfants. / La misère brassée à pleines mains. / Le coq du voisin a reçu plusieurs coups de pattes. / N'était la mort de notre enfant, nous serions déjà grand-mère. / Le temps pour les fruits de mûrir, les branches de l'arbre se cassèrent une à une. / Perdre absurdement la vie. / Gémissements de douleur. / De son bec, la bécassine a crevé l'œil de son petit. / Nous traînons nos ailes dans la poussière.

Pourquoi tiennent-ils à mettre dans l'arène un coq nain face à une pintadine ? Ils ne sont pas de même gabarit. / Nous tenons en aversion les amateurs cupides. / Les voraces vont s'affronter aux poignards. Les assassins pullulent dans les arènes. / Désormais, nous ne laisserons plus nos flancs ouverts à l'adversaire. / Les joueurs inexpérimentés ne font pas long feu ; ils perdent du premier coup. / Les écervelés se sont brûlé les doigts en voulant brasser un brasier les mains nues. / Paroles aux effets foudroyants. Ils ne nous lâchent pas d'un poil. Nous sommes restés pendant longtemps des spectateurs passifs. / Avec cynisme, ils piétinent les faibles. / Loin de vivre, nous vivotons. Difficile combat. Nous en sortons ébréchés jusque dans l'âme. / Menace aux poignards. / Exaspération. / Déflagration de l'être. / Il nous est impossible de deviner les chiffres et les couleurs du temps dans cette aire enténébrée de doute, malgré nos yeux ouverts. / Ventouses appliquées dans l'épaisseur de la chair. Comment appréhender l'irrationnel et l'innommable ? / La machine broyeuse de vies gagne les rues en pleine nuit. La concasseuse infernale a écrabouillé les genoux du maître-marcheur.

Les étoiles filantes nous donnent le vertige. De ténébreuses pensées nous effleurent l'esprit. / Les indiscrets captent des bouffées de paroles dépourvues de sens. Les bavards intempestifs exultent. / Sur quel pied nous faudra-t-il danser ? / Nous n'avons pas encore tout perdu. Nous nous abritons contre les intempéries. Le vent a endommagé les toits de nos maisons. / Portes défoncées. Chaises brisées. Nous n'irons témoigner nulle part. / Rafale de coups. Mort soudaine de la pute aux ailes vertes à la guinguette. / Avant d'enjamber le danger, quel pied devrions-nous lever le premier ? / Chavirement d'un navire côtier. À combien de brasses sommes-nous du rivage ? Notre gorge nous brûle. / Le coq au plumage bariolé s'est réveillé. Revirement dans l'arène. Ils pourchassent les amateurs récalcitrants.

Carmeleau allume une cigarette. Philogène sommeille, debout. À l'entrée du gallodrome, la bagarre éclate. Jets de bouteilles. Tables démantelées. Chaises démantibulées. Sous la tonnelle qui s'écroule, Philogène sursaute.

— Carmeleau, n'est-ce pas que l'orage se déchaîne en plein midi !

— Réveille-toi, Philogène ! La mort a bâillé tout près de nous. La mort file dans le sillage de la vie. Arrange-toi vite !

Avec raison. La bouche de la mort exhale une sale odeur de pourriture.

Ponts abîmés, déplanchéiés. Nous traversons les rivières. Toit découronné. Maison déplafonnée. La voûte du ciel s'est effondrée. Nous voltigeons, nous nous élançons aux quatre horizons.

Portes et fenêtres closes. Nous percevons l'environnement. Nous n'avons pas les jambes brisées, ni les ailes coupées, ni les yeux crevés. Sans désemparer, nous poursuivrons notre marche à travers des chemins difficiles. Un oiseau s'envole ; il nous prête ses ailes. Le vent souffle ; nous nous accrochons à ses roues libres. La fumée s'élève ; nous tournoyons dans la danse vaporeuse des volutes. Fines gouttelettes de pluie. Nous nous humectons le bout de la langue.

À travers d'épais halliers, nous avançons péniblement, recouverts de haillons, le corps tailladé par des épines. Affaiblis par le saignement de nos blessures, nous boitillons. Torturés par la faim, rompus de douleur, nous poursuivons notre marche. À chaque tournant de route, nous traçons des vêvês au charbon, en laissant sur le sol des signes susceptibles de guider nos enfants. La pensée voyage plus vite que le corps. Une idée qu'on ne laisse pas moisir sous le fatras pourrissant du sommeil, et qui s'enrichit dans le feu vivifiant de l'action, ne saurait s'éteindre. Un cri déchirant. Quelle est la trajectoire de la voix ? De quel côté prolifère la rumeur ? Si la pensée est plus malléable et plus prompte que le corps, qui donc aura le dernier mot ?

Ivre de tafia au dernier degré, Gédéon improvise des chansons, nouées de paroles ambiguës, tissées de mystère. « Ô marassas mes amours ! Je suis venu vous chercher. Nous devons partir, nous en aller d'ici. Je vous entraînerai bien loin. Je vous emmènerai très loin. Nous devons partir, nous en aller d'ici, je suis venu vous chercher, ô marassas mes amours ! »

Gédéon continue à boire, à chanter, à parler par paraboles, tandis que la petite Rita n'arrête pas de travailler dans la maison. Harcelée par les appels de son maître. Épuisée par les escalades et les dégringolades réitérées de l'escalier. Tourmentée. Au bord de l'égarement.

— Rita !

— Plaît-il, tonton.

— Prépare-moi du hareng saur à l'oignon, fortement assaisonné de piment.

— Oui, tonton.

— Achète-moi du pain de mie à la boutique d'en face, pour une valeur de cinquante centimes.

— Oui, tonton.

— Des glaçons, pour dix centimes.

— Oui, tonton.

— Quatre cigarettes.

— Oui, tonton.

— Fille de mes fesses ! Dépêche-toi ! La merde !

— Oui, monsieur Gédéon.

L'hélianthe fascine les abeilles, les papillons et les guêpes. Pour un enjeu banal, se déclenche un jeu terrible aux poignards. Les tambours résonnent d'envoûtement. S'agirait-il d'une rumeur de danse occulte ou de massacre ?

Lèvres fanées par la faim. N'attendons pas la manne céleste. Brisons le cercle de l'inertie. Brassons le vent dans le cirque des villes. Pour ne plus être tentés de renouer avec la passivité casanière, démantibulons nos chaises, démolissons nos lits.

Gédéon s'agite, au paroxysme de l'ivresse. Après avoir bouffaillé du hareng saur avec du pain de mie, il recommence à boire. À chanter de plus belle. « Au suprême degré, je réponds présent. Au suprême degré, le diable vomit du sang. Au suprême degré, rugit la bête au fond des bois. Au suprême degré, expire la bête à l'abattoir. »

Lorsque retentissent les notes et les paroles de ce chant macabre, les parents, dans le voisinage, se hâtent d'appeler leurs enfants. Tous les gosses du quartier regagnent leur logis. À plat ventre, ils s'étendent dans leur lit. Enfouis sous des couvertures, de la tête aux pieds. Les adultes, eux-mêmes, dressés sur leurs ergots, accablent Gédéon d'invectives. Un marathon insolite :

d'un côté de la rue, des flots d'injures déversés à bout portant ; de l'autre côté, jaillissant de la vieille maison, la persistance d'un chant mystérieux.

— Loup-garou ! Il est temps que tu prennes ta retraite, Gédéon.

— Au suprême degré, je réponds présent.

— Baka inconscient ! Vieux fou cynique ! Cannibale !

— Au suprême degré, le diable vomit du sang.

— Sorcier ! Tu raffoles de la chair tendre des enfants. Un jour, nous te ferons payer tes crimes.

— Au suprême degré, rugit la bête au fond des bois.

— Zobop ! Tu trouveras bien plus fort que toi. Au-delà d'une montagne s'étagent d'autres montagnes.

— Au suprême degré, expire la bête à l'abattoir.

— Vieillard dégoûtant ! Ferme ta sale gueule ! Prends donc ta retraite. Loup-garou mangeur d'enfants !

Tout le voisinage se déchaîne contre Gédéon. Dans les parages, on brûle l'assa-foetida et l'encens. Vain exorcisme. Gédéon chante à tue-tête. On mitraille sa maison de jets de pierres. Infructueuse canonnade. Il hurle sa chanson à toute gorge, jusque fort tard dans la nuit. Ne s'arrêtant de s'égosiller que lorsque toutes les maisons environnantes achèvent de fermer portes et fenêtres.

Gédéon allume une cigarette, expire une bouffée de nuage. Trébuchant contre une rainure du plancher, il est projeté, en position assise, jusque sur le rebord du lit.

— Rita !

— Plaît-il, tonton.

— Remplis d'eau propre la cuvette émaillée bleue.

— Oui, tonton.

Gédéon expire une autre bouffée en observant l'étirement des volutes de fumée. Aïe ! J'ai la tête qui tourne. Ils ont cru pouvoir m'importuner. Mais, en définitive, ils ont perdu le pari. Tout le quartier a capitulé sous mes assauts. J'aurais passé la nuit entière à chanter, s'ils ne s'étaient pas empressés de fermer les portes. Pourtant, je sens décliner mes forces. Ô mon vieux corps accablé de douleurs ! Tout seul, je végète dans cette vieille maison. Depuis dix ans. Tous mes enfants sont partis à destination de l'étranger. Ma femme, à son tour, est allée se fixer à New York. Personne ne m'a donné signe de vie. Personne n'a jugé bon de m'écrire. Moi qui me suis tant dévoué, tant épuisé pour ma femme et mes enfants ! Que de sacrifices et de folie ! Pour un cric pour un crac, je les comblais d'argent. Aujourd'hui, voilà que je vis tout seul, abandonné dans une vieille maison délabrée.

À force de se lamenter sur son sort, Gédéon ne peut s'empêcher de pleurer. D'affilée, il fume trois cigarettes. En proie à la nostalgie, il s'étend sur le lit, sombrant lentement, tout doucement dans une demi-torpeur.

— Rita !

— Plaît-il, tonton.

— Chante-moi une chanson. Je suis très fatigué. J'aimerais dormir. Chante-moi donc une chanson, ma fille.

Rita s'approche du lit. Elle commence à chanter à mi-voix : « Mon frère vit loin de moi. Or, mon frère est jaloux. Mon père malade a été soigné par les animaux des bois. En échange, il fit don de moi au sorcier. Mais, le sorcier guérisseur a la vilaine habitude de dévorer les enfants. Ah ! Je vais pleurer tout mon soûl. Je vais pleurer jusqu'au lever du jour. Je vais pleurer, pleurer, jusqu'au retour de mon frère. »

Pendant que Rita chante la triste mélopée, deux larmes jaillissent de ses yeux. De sa faible et tremblotante voix, s'exhalent de mélancoliques effluves. Entre-temps, la tête renversée en arrière, un ruissellement de bave aux commissures des lèvres, Gédéon sombre dans un profond sommeil. Rita lui soulève la tête, et glisse un oreiller sous sa nuque. Puis, sans faire de bruit, elle descend légèrement l'escalier pour aller dormir à son tour.

Des entrailles du soleil, nous voudrions arracher des rêves brû-
lants. Un puissant coup de bélier. Les deux battants de la porte
s'ouvrent largement. Brassage de poussière et de pluie battante pour
l'aménagement d'un bourbier. Un champ de voix en émergence.
Mamelles de la vache. Flèches de cannes. La verticalité. L'élan
du taureau. La queue en panache du coq de race. Virilité du bouc
au fond de la savane. Sifflements lubriques de l'étoile filante. En
franchissant la clôture pour saillir une jument au milieu de la nuit,
le vigoureux étalon a failli se briser la nuque. Mais le lendemain,
il a nié être l'auteur du scandale. Qui devrions-nous croire? Des
entrailles du soleil, nous voudrions arracher des rêves brûlants.

Masques grotesques. La mascarade marque nos faces. La
manie des grimaces aux commissures de nos lèvres. Le mal du
mardigras ancré en nous. Coup imprévu. Nous ouvrons aussitôt
les yeux, le cœur bouillonnant d'ardeur. Pourquoi sursautons-nous
de frayeur? Nous imaginons l'au-delà du sommeil, l'au-delà de la
vie. La lumière champignonne. Danse de fièvre. Un tournoiement
de feu dans nos veines. Diagramme fugace de l'éclair. Nous bon-
dissons pour recouvrir les miroirs avant le lever de rideau sur les
violences théâtrales de la foudre. Dans l'épaisse obscurité, même le
bruit des rats nous épouvante.

Pourtant, c'est au plus profond de nous-mêmes que le mal a
pris racine. Notre unique salut réside dans notre détermination à
l'extirper de manière qu'il ne revienne plus à la charge.

Vous qui dévorez notre chair à belles dents, gardez-vous de
toucher à nos os! Aussitôt que nous aurons anéanti la race des
voraces, les arbres, les fleurs, les feuilles, les rivières, les animaux,
les hommes, tous les êtres vivants changeront d'aspect, resplendi-
ront de fraîcheur et de clarté, pour devenir de plus en plus beaux.
Jambes ouvertes, cuisses au vent, la terre s'offre à nous. Le sexe de la
vie bâille, béance écarlate. La grossesse poursuit son cycle. Rondeur
et dilatation du ventre. Demain, la délivrance. Fille ou garçon.
Nous percevons déjà les cris de l'enfant. Nous avons préparé de

la poudre, du savon, du parfum, de l'eau pure, et la layette du nouveau-né. Ensemble, nous nous baignons dans le même bassin ; nous n'avons aucune raison de nous dissimuler le nombril l'un à l'autre. Au point d'or où jaillit la source, nous nous débarbouillons les mains. Des entrailles du soleil, nous voudrions arracher des rêves brûlants.

Effervescence du samedi. Sous la tonnelle, chez Faby, le jeu aux dés s'anime. De plus en plus bruyant. Sous la violence des coups de cornet, la table menace de s'embraser, de s'écrouler. Agrémentées de tafia, de cigarettes, de mets épicés, de sauce piquante, les parties s'échauffent. Successivement, tous les joueurs s'inclinent face aux surprenantes performances de Gaston. Triomphe indiscutable. Il a les poches bourrées d'argent. Sous sa chaise, une marmite remplie de pièces de monnaie par-dessus les bords. Fier de son record. Au ras des lèvres, une cigarette en équilibre. Aspirant et rejetant des bouffées de fumée. Soudain, Antonin surgit au tournant de la grand-route. Tous les joueurs simultanément lui cèdent la place en silence. Faby s'empresse de se tenir debout, tout près de la table. Antonin tire une chaise qu'il fait tournoyer telle une toupie ; d'un seul coup, il la bloque entre ses genoux, la chevauche à contre-siège, avant de s'asseoir en face de Gaston.

— Quelles sont tes possibilités en ce jour du samedi, jeune vantard ? Pourras-tu nager en profondeur sans éprouver de malaise ?

— Sans limites ! Pour comprendre le débordement de la rivière à l'embouchure, j'ai appris à me faufiler entre les racines de l'eau.

— Palabres de jeune premier !

— Caponnade de grand format !

— À travers toute la région, je suis à même de régler son compte à n'importe qui. Déclare la mise que tu veux, petit téméraire ! Ma foi d'Antonin Montilus, je jure par trois coups violents sur ma poitrine n'avoir jamais refusé de pari ! Quelle impertinence !

Gaston évalue rapidement son avoir. Il incline sa casquette sur son oreille droite. Et répond.

— De l'argent comptant ! Un seul et unique coup de dés à chacun de nous ! Pour deux cent quarante gourdes ! À toi l'honneur de commencer.

Grande surprise dans l'assistance. Faby a les yeux exorbités d'émotion. Antonin se mord les lèvres. Stupéfaction. Déroute. Il perd le contrôle de ses nerfs, se frotte rudement les dents les unes contre les autres. Ses puissantes mâchoires se meuvent, tels des engrenages de moulin. Il lance un jet de crachat sanguinolent. Puis il bondit à l'intérieur de la maison. Trois minutes plus tard, il revient s'asseoir dans la même posture. Accumulant plusieurs poignées de billets sur la table, il fait craquer ses pouces avant d'empoigner sauvagement le cornet à dés. Ses yeux s'enflamment aussitôt d'un rouge sang. Au coup de cornet, le premier dé s'immobilise à six points, et le second, après d'innombrables pirouettes, s'arrête à cinq points. Faby annonce à haute voix un total de onze pour Antonin.

Gaston, à son tour, commence à agiter le cornet à dés. Il l'agite. Suant à grosses gouttes. La peau du visage aussi luisante que celle d'un lézard gris. Pendant longtemps, il agite vivement le cornet. Puis, poussant un cri extravagant, il lance rageusement les dés qui décrivent, à plusieurs reprises, le pourtour de la table, s'orientent vers le centre dans une valse tourbillonnante, se déhanchent, se heurtent en pleine exhibition, comme emportés dans une danse toute d'érotisme et de grâce, et enfin se figent, à la suite de quelques cabrioles, à six points chacun. Exclamations gonflées d'étonnement sous la tonnelle chez Faby. Rumeurs. Coup de gong final d'une rencontre inoubliable dans les annales des jeux à Bois-Neuf.

Gaston ramasse son gain. Après avoir versé la prime réglementaire, il offre une tournée de clairin à toute l'assistance.

Dédaignant de boire, Antonin se lève ; sans dire un mot, il s'en va. Gaston également se retire au même instant, pour se rendre chez Louisina. À mi-chemin, la tête relevée, il observe le ciel gris plomb, chargé de nuages menaçants. Déjà, sur l'étendue de la mer, il commence à pleuvoir. Gaston accélère l'allure. Parvenu sous le pont, il s'incline pour se mouiller la tête dans l'eau de la rivière. Un train de la compagnie MacDonald des chemins de fer revient à vitesse folle de Port-au-Prince. Gaston redresse un peu la tête pour regarder, attentif aux bruits de la ferraille qui sembleraient vouloir lui dire : « Je voyage, moyennant une gourde et demie ; verse-moi de l'argent, je t'emmènerai très loin ; je voyage, moyennant une gourde et demie. » Éperdument, Gaston regarde le dernier wagon s'éloigner et disparaître à l'extrémité des rails.

Barrage d'ombres, la nuit nous a surpris à l'intérieur d'une maison hantée. Un filet de mémoire pour piéger l'étoile suspendue à l'intérieur du crâne. Course à l'errance. La vadrouille. La dérive. À chaque carrefour, nous semons du sel pour que nos enfants sachent bien où mettre les pieds. La lumière a aveuglé l'assassin embusqué au fond des bois. Sans dire un mot, les yeux grands ouverts, nous en avons profité pour nous retirer à pas feutrés et nous mettre à l'abri. Il n'est jamais recommandé d'interrompre le sommeil des carnassiers affamés, des mangeurs insatiables et des ennemis de guerre, tant que nous ne nous sentons pas encore prêts pour terrasser le mal. Ni de parler à haute et intelligible voix, si nos bras tardent à suivre l'envol de nos pensées.

Partout sont tendus des pièges. Bientôt, l'endormissement. Le sommeil entrecoupé de cauchemars. L'éveil et la prudence. Dans le voisinage, un coq, dressé par l'ennemi, claironne des heures fausses pour nous induire en erreur dans l'évaluation des ombres nocturnes. Deux chiens fous d'amour, ivres de fornication, aboient à tue-tête. De manière à rester éveillés, de temps en temps nous nous pinçons les uns les autres. Dans nos mains, une tige épineuse pour maintenir à distance les créatures maléfiques. Nous attendons qu'un jour nouveau prenne forme dans la forgerie du soleil.

Gaston s'est levé très tôt. Après avoir préparé sa mallette et s'être proprement vêtu, il réveille tante Louisina en la secouant dans son lit.

— Je m'en vais, Tante Louisina.

— Mais, où voudrais-tu aller ?

— À Port-au-Prince.

Louisina se lève, tire une chaise, s'assied, puis se remet debout. Elle se lave le visage pour chasser les dernières brumes du sommeil.

— Gaston, où veux-tu aller vraiment ?

— À Port-au-Prince.

— Mon garçon, que vas-tu donc chercher à la capitale ?

— Je suis fatigué de souffler dans des tiges de bambou et de me gonfler le cou et les mâchoires avec du vent. Je vais chercher du travail à Port-au-Prince. Quand j'aurai réussi à améliorer ma vie, je reviendrai au pays. Oui, je reviendrai. Je te le promets, ma tante.

Des larmes ruissellent des yeux de Louisina, qui tantôt se déplace sans but précis à l'intérieur de la chambre, tantôt s'assied, tantôt se tient debout, se lamentant interminablement. Gaston reste sourd à tous les arguments de dissuasion, à toutes les prières. Pourtant, son cœur se déchire. Se sentant aux bords des larmes, il embrasse précipitamment Tante Louisina en la serrant avec force. Empoignant calmement l'anse de sa mallette, il part en direction de la grand-route. Parvenu à un tournant du chemin, tout près de la maison de Faby, il aperçoit soudain un vieux camion de transport, bringuebalant, surmonté d'une carrosserie aux couleurs voyantes. Son cœur bondit, saccadé d'émotion. Il se retourne pour regarder, avant de grimper dans le tacot. Alors, les bayahondes, les cactus, les bananiers, les nasses aux poissons, les vieilles chaumières et des nuées d'oiseaux commencent à tournoyer au fond de sa tête. Sa gorge se resserre. Dans un vacarme assourdissant et un intense brassage de poussière et de fumée, l'infernal camion démarre. Gaston jette un dernier regard sur Bois-Neuf. Les premières flèches du soleil, bourgeons et cornes de clarté, jeunes pousses de lumière, émergent lentement par-delà une vieille montagne dénudée (le morne Lakatao).

Ils ont arraché, coupé, mutilé sauvagement les langues indiscrètes. Au fond de nos gorges gommées de peur, le blocage des paroles. Plongés dans un profond et long sommeil, nous avons été mordus aux orteils, aux oreilles, aux doigts, aux lèvres. Expérience, technique et ruse des rats spécialistes du double jeu, soufflant sensuellement sur nos blessures. Ils nous caressent en même temps qu'ils nous mordent pour que nous ne ressentions pas la douleur des morsures.

Derrière nos portes, ricanent des têtes de mort. Ils nous ont écrabouillé la chair, pulvérisé les os. Puis, ils ont craché dans nos mains. Combien d'étoiles mortes peut-on mettre dans la paume de la main ? Toute notre imagination projetée sur les épures d'un temps futur. Dans les non-lieux infinis de la présence / absence, nous captons toutes sortes de paroles. Des propos sensés et réfléchis. Des pensées vagues et absurdes. Des énoncés contradictoires. Une infinité de sons variant du grave à l'aigu. Et des dissonances. Quand s'amorce la musique, nous constatons avoir tout mélangé.

Le lécheur de culs se relève, s'assied, regarde partout. Le corps hideux, horriblement couvert de boursouflures, tellement il s'est gratté. Le bluff ne produit pas toujours les effets escomptés. Les litanies incantatoires non plus ne suffisent pas à celui qui voudrait percer les secrets de la vie. Si nos projets et nos rêves menacent d'échouer, si notre courage décline, il nous faudra apprendre à nager dans le noir silence des abysses. Nous émergerons plus loin.

Le repas mijote. D'un geste de la tête et d'un signe des yeux, ils ont repoussé notre présence. La violence prend racine aux tripes, s'amplifie à l'estomac et explose dans la tête. Une multitude de mains ouvertes peuple nos rêves. Mains tendues. Mains agressives. Mains suppliantes. Mains vengeresses. Un déferlement d'eaux pour noyer les vers des nombrils pourris. Sauvagement, nous bondissons sur nos ombres. Notre mémoire est pleine de croix, de clous et de plaies. Ils nous ont crucifié la mémoire.

Un tonnerre sourd se déploie dans la nuit poreuse ; le ciel chavire d'inéquilibre. Complicité dans la peur de mourir. Dans le silence naît un bourdonnement pareil au grincement d'une scie. En rêve ou en pleine conscience nous ne faisons que traverser les heures avec des battements de mains et des hurlements pour tromper nos déserts. L'espoir palpite dans la respiration de l'œuf. Éclat de miroir ou tranchant de lame. Saintil a assommé un zombi d'un violent coup de bâton à la tempe gauche. La malheureuse victime s'affaissa, le corps agité, le visage crispé, en proie aux convulsions de la mort. Au même instant, le fou du village, qui rôdait par hasard aux alentours du hounfor, fut assailli à coups de matraque par Zofer ; il s'écroula sans connaissance. L'agresseur continua, malgré tout, à frapper de toutes ses forces, jusqu'au moment où il fut certain de la mort du pauvre idiot. Comment retenir les rêves en fuite entre le sommeil et le réveil ? La mer prépare un attentat par les nervures du sel et la mouvance des sables.

La lune vire et dissout les cauchemars.
Cassure d'île sombrant dans un océan de sang dramatisant la légende, obstruant les pistes du désir et rendant l'aube inhabitable. Le désastre abolit les signes du zodiaque et dépasse les prévisions du prophète. Troublé par le récit de tant d'horreurs, Jérôme se mord les lèvres de colère. Bouillonnement de sang. Veines éclatées. Déferlement de

paroles aimantant la foudre. Jérôme fulmine contre les zombificateurs. Un cadavre roule dans la nuit vers les frontières de haut souffle et de grand silence entre chair et lumière. Le guédé surexcité avale une panoplie d'éclairs et de couteaux. Nous comptons les étoiles dans la dormance étale du lac. Nous perdons notre temps à rechercher l'envers et l'endroit des ténèbres toujours vierges hors de la fornication des astres. Androgynie de la flamme qui se réfracte en nous. Un seul spasme dans la nuit, et la vie se perpétue. Orgasme de la lampe allumée aux pieds de la déesse Erzulie. Nous dissimulons sous nos lits les objets sacrés arrachés de la main des vandales. Les paris ne s'annuleront plus ; le coq du voisin reprend pied. La passivité des zombis nous accable ; leur apathie est contagieuse ; un lourd silence plane sur l'enfer des marécages.

Nous avons tout accepté, tout avalé, tout avalisé. Murailles, poutrelles, échafauds et barbelés dans un décor monté pour la barbarie et la peur. Usant de prudence dans le jeu terrible du silence, nous faisons le mort, pour ne pas être happés par la machine broyeuse. Jeu de massacre pour un règlement de comptes. Les habitants de Bois-Neuf n'ont encore rien tenté contre le pouvoir tyrannique de Saintil. Au cours d'une cérémonie sacrificatoire, Zofer a enfoui le corps d'un nouveau-né dans le ventre d'un mouton égorgé. L'étang s'enferre dans les rizières. Convulsions des coqs touchés aux salières. De nos doigts nus, comment pétrir le feu ? Saintil, requin des profondeurs, connaît le moulinage des eaux barbares. Le fleuve en débordement peut déraciner quelques arbres isolés. Mais, impossible qu'il fauche toute une forêt. Saintil accapare les terres fertiles, s'empare du bétail, détourne les cours d'eau, ensorcelle les femmes, asservit les âmes, terrorise toute la population de Bois-Neuf. De mystérieuses créatures peuplent ses vastes domaines ; des tas de cadavres s'accumulent dans la cour de sa demeure ;

des cervelles en fleurs jonchent son lit ; sous le péristyle du temple gisent des corps d'enfants enterrés vivants ; des colliers de crânes ornent son hounfor ; des milliers de zombis pullulent dans ses champs de riz ; des grappes de tripes humaines, enduites de graisse, pendent aux clôtures de son habitation.

Le sang s'affole à l'entour du tatouage, et l'air bleuit autour de nos gestes. Défrichons le sens au creux du son.

Dessillons-nous les yeux / Arrachons les plumes racornies alourdissant nos ailes / Enlevons les croûtes pourries de nos orteils / extirpons les chiques et les crabes entravant notre marche parmi les pierres. Nous finirons par savoir sur quel pied danser. Les couleurs du temps changent / nous ne sommes pourtant pas dupes de la ruse des caméléons réfugiés dans les feuillages / nous sommes déjà marqués au fer rouge. Nulle parole n'est vaine à deux doigts de la mort. L'ombre s'accroche à nos portes. Des chiens batailleurs se précipitent sur les poubelles. Baignés de lune, les vidangeurs s'enfoncent dans une masse infecte d'excréments.

Dangereuse incubation dans la molle épaisseur des fausses paix. Les zombis traversent la rizière et contournent l'étang de Bois-Neuf ; chacun de leurs pas s'inscrit dans l'opacité et la lourdeur de l'inconscience.

Les révélations des prophètes de malheur ne nous émeuvent point. Nous lisons dans les signes de l'eau les messages des insectes et des oiseaux de passage. Les paroles interdites s'amassent au fond de la gorge. Zofer frappe un zombi à la poitrine ; le fouet déchire la masse charnelle en profondeur. À la recherche de notre ombre égarée dans le coton du sommeil, nous avons longé tous les corridors, enfoncé toutes les portes, écarté tous les rideaux. Il n'y a que de sombres reflets glissant hors de nos mains.

La peau fragile et bleutée dans la semi-clarté crépusculaire, Sultana se tient debout dans sa chambre. Un bruit de pas. La porte s'ouvre. Saintil entre dans la pièce et s'immobilise à quelques pas de sa fille.

— Sultana, mon enfant, tu devrais te reposer. Nous aurons une longue nuit de travail.

— Oui, papa.

— Depuis la mort de ta mère, tu es devenue mon bras droit, l'héritière de mes biens et de mon pouvoir.

— Oui, papa.

— Quand je ne serai plus là, tu maintiendras intactes les traditions du hounfor.

— Oui, papa.

— Pour éviter l'effritement et l'anéantissement du domaine, garde-toi d'ouvrir ton cœur à un étranger.

— Oui, papa.

— Ta vie appartient aux loas de la famille. Tu ne pourras te lier à aucun être de chair.

— Je le sais, papa.

— Tu m'apportes une aide indispensable dans l'accomplissement de mes œuvres. Tu ne m'as jamais déçu. Je te récompenserai mille fois.

— Merci, papa.

— Tu n'as jamais provoqué la colère des loas qui pourtant sont si jaloux. Ils n'ont jamais eu la moindre occasion de se plaindre de ta conduite. Ils te combleront de richesses, de puissance et de gloire.

— Oui, papa. Je m'incline devant la volonté des loas, des esprits et des mystères. Je leur demande avec ferveur de ne jamais m'abandonner sur les chemins de la tentation.

— Sois sans crainte, mon enfant.

Saintil s'approche de Sultana. Il lui caresse les cheveux, les oreilles. Il lui palpe les joues, avant de l'embrasser sur les lèvres. En une longue et fougueuse étreinte. Frémissement de chair.

Fièvre et frisson. Il la serre contre sa poitrine, le souffle haletant. Sultana se pâme de vertige. Saintil la conduit sous le péristyle, à un divan en acajou où elle s'assied.

— Sultana, tu es responsable de la cuisine des zombis.

— Oui, papa.

— Même dans l'obscurité la plus totale, ne perds jamais de vue la ligne de partage, la frontière fuyante entre les vivants et les morts.

— Oui, papa.

— Garde les yeux ouverts, et tu verras les nœuds des ombres par-delà les clartés diffuses de la nuit.

— Je m'y efforcerai, papa.

— N'oublie jamais de goûter à la nourriture quotidienne des zombis, avant de leur donner à manger.

— Oui, papa.

— Rappelle-toi que l'usage du sel est formellement interdit dans l'alimentation des zombis. Rappelle-toi bien, ma fille.

— Oui, papa.

— Le jour où ils en auraient goûté, ils deviendraient immédiatement incontrôlables et ils s'évaderaient tous de nos terres.

— Oui, papa.

Saintil entre dans la chambre. Il en revient avec un mouchoir blanc qui lui sert à envelopper la tête de Sultana. Puis, il regarde au-dehors. Le soleil, descendant lentement dans la liquidité d'un miroir marin, buissonne, paré de teintes orange abricot. Dans la cour de l'habitation, des colonnes de cocotiers, aux ramures ébouriffées et frangées par le vent de carême, se balancent.

— Sultana, mon enfant.

— Oui, papa.

— Nous aurons une nuit épaisse, privée de lune.

— Oui, papa.

— Apprête le fouet de manège. J'en aurai besoin.

— Oui, papa.

— Cette nuit, j'irai tôt au cimetière. J'en reviendrai, accompagné d'un jeune poulain.

— Oui, papa.

— Il a été, de son vivant, un poulain plein de fougue et d'audace. Ce jeune homme présomptueux, vaniteux, savait broder le français mieux qu'un rat. Je vais lui apprendre à danser sur la pointe des orteils.

— Oui, papa.

— Je le dompterai. J'enchaînerai son âme. Je l'anéantirai, l'espace d'une nuit. Puis, sous la surveillance de Zofer, il travaillera comme une bourrique sur nos terres.

— Oui, papa.

— Je te le répète, ma fille : n'oublie jamais que l'usage du sel est formellement interdit dans l'alimentation des zombis. Ne l'oublie jamais, mon enfant.

— Oui, papa.

La rivière en crue charrie de la paille sèche. C'en est le comble. Tout près de l'embouchure, des masses de boue et de fatras s'amoncellent. À Bois-Neuf, le vent souffle sans répit dans les mornes. Affreuse érosion. Dévoilement d'une ossature de pierres. Un crapaud exhibitionniste, poussé par le désir de claironner son titre de maître-musicien, lance à tue-tête des coassements métalliques, gobant du même coup des brassées de poussière jusqu'à la suffocation. D'innombrables oiseaux sont morts, juchés sur des branches d'arbres, sans avoir eu le temps de pousser un cri. Surpris par la mauvaise saison, la gorge épinglée d'épines, les rares survivants ont la voix nouée de douleur. Nous marchons depuis toujours. Sans boire, ni manger. Quand les dents de la faim nous transpercent les tripes, nous devrions nous serrer les entrailles et nous presser le ventre pour alléger nos pas.

Gaston débarque un matin à Port-au-Prince. Dans la même journée, il a le temps de visiter tout le bas de la ville. Vadrouillant dans l'aire de la Cité de l'Exposition du Bicentenaire, il observe à loisir trois navires géants accostés au Wharf. En face de l'Hôtel de la Mairie, il jette des coups d'œil furtifs à l'intérieur de quelques magasins où s'étalent à profusion des marchandises de toutes sortes : des balles de tissu, des boîtes de chaussures, de la vaisselle, des montres-bracelets, des chaînes aux chatoiements d'or, des boucles d'oreilles rutilantes, des gallons de peinture, des verres en cristal, de la porcelaine, de l'argenterie, des flacons de parfum, du savon, de la poudre, des chemises, des cravates, des tôles, des barres de fer, des sacs de ciment, des meubles variés.

Gaston, pris de vertige, ressent un malaise profond. Nostalgie et remords. Résurgence des paysages de Bois-Neuf et de Ravine-Sèche. La tête lui tourne, comme accrochée aux ailes d'un moulin à vent. Crampe d'estomac. La poitrine saccadée, malaxée par de violents hoquets. Les poumons dilatés. La gorge sur le point de se fendre. Un moment, à perte de souffle, il s'empresse de s'appuyer contre un pilier près d'une galerie.

Des touffes de halliers et de chardons, des filets aux poissons, des sabots de bœufs, des grappes de figues, des noyaux d'avocat, des tiges de millet, les chaumières de son village, les champs de sisal de la Shada, l'image de Tante Louisina, les rails de la Compagnie MacDonald, les avirons des barques s'enchevêtrent dans sa mémoire, tourbillonnent en une course effrénée. Ronde allègre et barbaresque. Les klaxons des voitures retentissent dans les rues. Ses oreilles bourdonnent. Il ouvre les yeux. Dans la zone commerciale de Port-au-Prince, la foule s'agite, on dirait un immense déploiement chorégraphique dans un ballet de fourmis folles.

Un instant plus tard, Gaston se rend au marché de la Croix-des-Bossales. Pour assouvir sa grande faim, il bouffe coup sur coup deux plats de fôkséli, accroupi près d'une mare boueuse. Là, en sa présence, un voleur de bananes est appréhendé, sauvagement traîné par la ceinture, le corps ensanglanté, brisé sous une avalanche de coups de bâton.

Le jour même de son arrivée à Port-au-Prince, Gaston prend tout son temps pour regarder. Observer. Il observe surtout les malheureux parias, ses frères de misère, issus des milieux ruraux, sortis de l'arrière-fond des montagnes obscures. À Port-au-Prince, ils sont portefaix, cireurs de chaussures, marchands de fresco, sous-fifres attachés au service des camions de transport. Ils portent des vêtements crasseux, exhalent une agressive odeur de fauves, poussent des brouettes à travers les rues, chapardent quelques bananes, transpirent sueur et sang sous le poids des fardeaux. Gaston observe, réfléchit ; et il éprouve, au plus profond de ses entrailles, les morsures d'une douleur lancinante.

Fuite précipitée des ombres. Une silhouette, indistincte, floue, mystérieuse, traverse à pas feutrés le fond d'une vieille cour. Des créatures de sombre augure rôdent dans le voisinage. Nous nous réveillons prestement, en fulminant contre nos ennemis. Mâchonnant d'interminables injures.

Au milieu de la nuit, une fresaie s'est posée sur le toit de notre maison. Par les interstices d'un panneau, un œil monstrueux nous regarde / Claquement de fenêtres et de portes / Craquement et crissement du lit / Trépidation du plancher / Affrontant la lèpre de la nuit, nous lançons une poignée de sel et de roroli par-dessus le toit. Vifs battements d'ailes de la fresaie qui s'enfuit. Le feu s'avive / Des étincelles jaillissent et s'éparpillent / Serpents-éclairs fouettant un ciel charnu et filandreux. Un chat sauvage bondit. Une bouteille de clairin dégringole une pente. Un seau d'eau chavire. Ils peuvent tomber de haut, comme bon leur semble. Mais qu'ils prennent bien garde de ne pas nous toucher. De ne pas nous brûler. De ne pas nous mouiller.

Nos enfants dépérissent, perchés sur des jambes grêles, chétives.

Une armée de chiens efflanqués se traînent péniblement sur leur queue. Nos femmes, mûries dans le creuset des douleurs et des expériences quotidiennes, réclament en toute justice la castration des professionnels du viol. Ils appliquent depuis toujours les mêmes clichés de diversion : la ruée carnavalesque dans les rues, avec un assortiment de débauches, de mascarades et de macaqueries dans les villes. Puis, une semaine plus tard, la cavalerie du vent charge à la baïonnette les bananiers des plaines, fauche les champs de millet, martyrise les pauvres ânes. Impitoyable et aveugle vent de destruction.

Nous avons traversé un espace quadrillé de lames de rasoir. Nous en sommes sortis, le corps ravagé de blessures, raviné de cicatrices.

Nous vivons dans une aire enténébrée de désastres. Frôlant le danger, nous ne goberons pas les hameçons rouillés. Malgré la faim et la soif, nous gardons tout notre calme à regarder les autotripofarfouilleurs gloutons barboter dans leurs assiettes et leurs gobelets. Les œufs, les oies, les déchets de viande, les mets réchauffés, le pain rassis, la cassave moisie, tout comme les plats les plus sophistiqués, rien ne saurait nous tourner les méninges. Nous avons appris à réfléchir. Pourtant, notre estomac digère et le bois et le fer. Et, quand nous sommes acculés, il nous arrive même de consommer des aliments avariés, sans éprouver de nausée. Alors, de quoi pourrions-nous avoir peur ?

Il aura suffi d'un rien. Une légère et suave respiration florale. Un brusque halètement du vent enjambant les portails de la ville (ville travestie pour un affreux carnaval). Au-dessus des montagnes grises, la moutonneuse entrave / désentrave des nuages. Plus tard, peut-être, les premières fléchettes de pluie, la senteur spermeuse de la terre. Et, le carrousel de l'enfance se met à tourner follement. Mais, advient-il parfois que les ailes du moulin tournent à contrevent ?

Gédéon s'engouffre dans la chambre bleue, assombrie par l'approche de la nuit. Un immense prélart de nuages barre les dernières clartés du jour. Étendu dans son lit, les yeux fermés, Gédéon se sent tout à coup piégé dans les mailles d'un invisible filet. Enchevêtrement de langues et de regards en flammes. Tournoiement de jambes coupées et de têtes arrachées. Galop d'ombres. La marche sur les tessons s'accélère dans un espace peuplé d'aiguilles et de couteaux. Saignement des blessures dans l'anarchie des griffes. Crocs pointus. Poignards aiguisés. Poumons perforés. Muraille étouffoir. Finalement, l'extrême lassitude se dilue dans l'huile visqueuse du sommeil.

À chacune de nos hésitations, l'ennemi gagne du terrain, et les dupeurs professionnels nous embobinent. La région de Bois-Neuf est peuplée d'une nombreuse et chétive marmaille.

Les gosses aux jambes atrophiées, d'une maigreur de baguette, succombent à la fleur de l'âge. Et pourtant, nous avons eu l'illusion de donner la vie.

Les zombis sont des créatures dénerflées ; elles ne savent rien de leur passé, et ne s'inquiètent ni du présent ni de l'avenir. D'innombrables mannequins encombrants s'exhibent dans des danses cocasses. De temps en temps, nous les observons. Une femme d'une beauté de sirène fait semblant de nous convier à l'amour. Nous préférons garder le silence, tout en apprêtant les oreillers, les couvertures, le lit, pour une autre fois. Nous vibrons d'amour depuis longtemps, d'un amour pluriel, multiplié indéfiniment dans l'âme des générations futures. Nos bras, noués en de vigoureux faisceaux, forment un marchepied pour nos enfants et nos petits-enfants, un bouclier contre la hardiesse des malfinis. Il est salutaire de surveiller les fuyards et les lâches réfugiés dans les coins sombres. Il n'est pas du tout question d'abandonner le combat, ni de nous voiler la conscience.

Quand nos chevaux faiblissent, épuisés par les infinis tentacules d'une invisible pieuvre, nous redoublons d'ardeur, nous poursuivons à pied une bonne partie de la route hérissée de pierres tranchantes. Et nous restons indifférents aux traditionnelles opérations publicitaires des maquignons, sourds aux paroles ensorcelantes des mystificateurs. Les maîtres-trompeurs ont le visage maquillé de toutes les couleurs.

Prolifération de poissons dans les fonds marins. Le poison, transmis par les poux du corps, se propage dans la promiscuité des prisons. Nous n'avons pas mis le pot au feu. Alors qui, dans la famille, sucerait des os dans les coulisses ? Nous digérons mal la précocité des ombres et l'inaudibilité des voix à quelques mètres des feux de la rampe. Théâtre illusoire. Un coup de poignard pour crever le tambour à deux faces / fesses / les fèces du double jeu. Un zigzag fugace dans la géométrie des éclairs pour mettre à nu les deux tranchants de la lame. Zoom sur l'hypocrisie ! Un mot à l'envers pour démasquer la cinquième colonne. Un retournement de peau. Un carnaval sans masques. Une poignée de sel pour édenter les mâchoires des faiseurs de mal. Un cinglant coup de fouet pour extirper les pourritures du nombril. De l'eau lustrale pour effacer les vêvês de la mort. Un violent coup de pierre pour écrabouiller l'œil du diable rivé à la lucarne. Une seule parole-clef pour déblayer les chemins du soleil. Un cri d'alarme pour le désenclavement de la vie et le surgissement des guerriers de la lumière.

Louisina couche dans un lit rudimentaire aménagé sur quatre pieux fichés dans le sol. Réveillée en sursaut au milieu de la nuit, elle se gratte, écrase de son index des punaises affolées, et, par des coups secs réitérés, elle aplatit nerveusement, entre les paumes de ses mains disposées en cymbales, une escadrille de maringouins vrombissants. Ah ! Quelles maudites bestioles suceuses de sang ! À l'aide de racines d'âvé, j'exterminerai les bataillons de punaises qui bivouaquent dans mon lit. Je ferai brûler des pelures d'oranges desséchées ; et la fumée bienfaitrice chassera quelque peu les moustiques. Je me nourris à peine. Je bois une eau polluée, corrompue. Je dors inconfortablement. Je traînaille ma vie. Courant le risque majeur de sombrer dans la démence, puis dans le silence de la mort. Depuis trois mois, je mène une existence solitaire et instable. Je godille toute fragile sur une mer démontée. Je n'ai plus d'appétit. Même l'eau est amère à mes lèvres. Gaston s'en est allé. Il folâtre à travers Port-au-Prince sans donner aucun signe de vie. Pourtant, je pense fort souvent à lui, me disant qu'il n'était pas aussi insupportable que je le croyais.

Projetant notre regard à travers les persiennes du temps, nous prospectons l'avenir. Tuméfiées, les veines du malheur palpitent à nos tempes. Raidissement de la nuque. Les ganglions de la mort s'enflent démesurément. Quand nous ramenons le regard tout près de nous dans le présent, nous voyons le spectacle désolant d'enfants au ventre ballonné, nourris de manioc amer. Des excréments de vaches, mêlés de limon et de boue fétide, stagnent dans le lagon. Nous avons goûté à l'eau de l'étang ; son âcreté nous a imprégné la langue pendant des jours et des nuits.

Ils ont manœuvré pour que notre part de rivière soit polluée. Les syndics se sont arrangés pour détourner les cours d'eau loin de nos champs. Qui pis est, même la pluie nous a sevrés. Nous nous efforçons cependant de rompre avec la traditionnelle attitude de mendiants, de divorcer d'avec les vieilles habitudes de mollesse et de lourde paresse. Loin de capituler, nous débarrassons nos voix de toutes intonations plaintives. Nos terres ne sont pas arrosées ; nous tenons le coup. Tenaces, nous nous suçons le pouce. Quand notre sang nous démange, nous nous mordons le doigt pour ne pas faiblir en cours de route.

La boustifaille fait venir l'eau à la bouche. Mais, nous avons l'art de maîtriser notre faim, en nous ceignant les reins, en nous

serrant les hanches, en nous pressant les tripes pour plusieurs jours.
Nous pratiquons d'innombrables tactiques de combat contre les
douleurs de la faim : nous mâchons des feuilles vertes ; nous roulons
des grains de sel sous notre langue. Très tôt, la vie nous a marqués
au fer rouge. Ni colère. Ni joie. Pour le moment, nous nous éver-
tuons à chercher sur quel pied entrer dans la danse. Pour accroître
notre pouvoir de résistance, nous rions souvent de nos misères. Nous
nous regardons dans un miroir ; nous nous grisons de rire pour ne
pas vieillir trop vite ; nous rions à belles dents de nous-mêmes. Nous
avons mis au point d'innombrables tactiques de combat.

Que de bataclans, de déchets et d'étranges sédiments rejetés
par la machinerie des vagues aux abords de l'embouchure ! En
plein midi, un vent furieux aiguise ses crocs en vannant du sable.
Le soleil nous verse du vitriol sur les plaies du dos, nous tatoue le
corps de ses morsures acides, nous mitraille de ses feux de guerre.

Gédéon s'est réveillé fort tard dans la matinée. La veille au
soir, il avait bu du clairin jusqu'à l'ivresse. Rompu de fatigue.
Patraque. La gueule de bois. D'humeur massacrante. Rescapé
d'un étrange naufrage, il a dû se lever du pied gauche.

— Rita ! Rita foutre !

— Plaît-il, tonton.

— Va à la boutique d'en face m'acheter vingt centimes de
bicarbonate.

— Oui, tonton.

— Cinquante centimes de sirop de canne.

— Oui, tonton.

— Prépare-moi une timbale de punch.

— Oui, tonton.

Nous sommes fatigués de mâcher de la quenouille de maïs pour
apaiser les coliques de la faim. Étendue, jambes écartées, bouche
ouverte, la femme enceinte halète sous l'étau de la douleur. Un
cri perçant déchire le toit de la maison. Rayures d'étoiles. Lueur

annonciatrice de naissance. Trompe de lumière. Peu importe que nos ennemis en soient mécontents. Peu importe qu'ils s'en plaignent. Désormais, nous ne prendrons plus soin gratuitement de leurs coqs de combat. Nous ne leur servirons plus de tremplin. Ils nous ont frappés et blessés. Nous avons le corps boursouflé, veiné de cicatrices horribles. Minés par les soucis quotidiens. Angoissés. Nous avons la mémoire empuantie de plaies. Nous avons tant frappé aux portes que nos poignets se sont disloqués. Personne n'a daigné nous ouvrir. Micmac. Maelstrom. Jeu macabre. Nous sommes aux abois. Les entrailles sanglées par la douleur, nous sommes à bout de souffle.

Depuis plus d'une heure, la pluie et le vent s'acharnent sur la ville. Rafales et sifflements. Coups de pattes et arrachement. Essoufflement de bêtes exténuées dans la nuit. Dans la chambre de Gédéon, une paire de rideaux se balance, s'envole. Ailes transparentes se débattant contre les griffes d'un vent rageur. Le vieillard frileux s'approche de la fenêtre close. Par une fente, il regarde les trottoirs inondés. Puis, il regagne à pas lents son lit froid, torturé un instant par le souvenir de sa femme. Je suis un insecte, pense-t-il. Un répugnant insecte égaré dans un voyage sans but. Ô mes éphémères nocturnes trop sensibles pour affronter la violence du jour! Tintements de cloche. Bruits de crécelle. Résonance de cymbales.

Mariage de tambours et de hurlements. Je ne suis qu'un cadavre pourrissant dans la moiteur des nuits gangrenées le cancer fouillant les os j'entends le hululement des charognards rôdant autour de moi le sourd glissement des serpents chasseurs hors de moi la corde de mes tripes allez-y Gédéon embrassez votre femme la reine des putes j'ai froid jusqu'aux os la déchéance de l'étoile filante ô pourritures bleuies au coin des lèvres frôlant les murs de ma forteresse branlante je titube dans la mouvance des sables et mes oiseaux mal servis par des ailes déplumées imaginent l'autre bout du ciel dans l'immobilité silencieuse.

Ils sont perchés au sommet d'un pic inaccessible. Nous éprouvons du mal à grimper. L'ascension se révèle harassante, ardue. Ils nous ont proprement roulés. Baïonnette au canon, la douleur avance à pas de charge. Nous avons grandi de plusieurs têtes au cours d'un long voyage.

Comment ne pas bouger dans ces lieux de viscosité et de démangeaison ? Nous sommes harcelés jour et nuit. Nous frôlons la folie. Ils voudraient notre déchéance. Aberration que de vouloir mettre de la friperie et de la paille à la place des tripes.

Nous n'avons encore trouvé aucun raccourci.

L'amour / la mort / troublante alliance / voisinage dangereux. Ils nous mènent à la baguette. Ils ne nous lâchent pas d'un poil. À nos trousses, un emmerdoir.

L'eau n'est jamais limpide à l'abreuvoir. Comment déboulonner Saintil, le potentat de la région ? Zofer a tabassé tous les zombis. Que devrions-nous tenter pour rompre avec l'échec et redorer notre plumage ?

Ils nous persécutent. À coups de bâton, ils assomment les zombis. Nous avons le sternum désajusté sous le poids des fardeaux. La douleur lance ses batteries nocturnes.

En tout temps, nous nous éreintons gratuitement, même à la morte-saison. Nous nous rechargeons d'ardeur, malgré la poussière, la boue, le soleil et la pluie.

Nœud infrangible du malheur. Notre sang a tourné. Dans nos veines, une coulée d'acide et de feu. Ils rient à gorge grasse ; ils parlent en gueulant. Une multitude de gens désorientés ne savent pas dans quelle direction souffle le vent. Tour de malchance, le tournoiement du cyclone change de sens. Ratatinés dans un coin, à longueur d'année, nous languissons dans le même accoutrement, engoncés dans les mêmes vêtements. Nos rêves se consument au fond de nous. En silence, nous résistons à une interminable chaîne de misères.

Combinards dangereux, ils trament notre perte. Aujourd'hui, le temps des alliances. Demain, l'amère saison de la discorde.

Marche siamoise de l'amour et de la mort / Souplesse d'un côté / Déchirures et blessures de l'autre. L'orchestre joue fortissimo. Entrecroisement de chemins. Nous sommes parvenus à un carrefour plein d'embûches. Apparemment, nous restons impassibles. Au fond, nous sommes très inquiets, même s'ils ne peuvent pas avoir raison de nous tous à la fois.

Nos pneus voilés sont boursouflés de pièces grossières. Nous roulons péniblement sur des routes cahoteuses. Démarche lente. Nous boitillons. Comble de déveine, nos roues sont mal ajustées. Pendant longtemps encore, nous irons en clopinant. Quand nous nous sentons abattus, nous puisons dans nos forces de réserve. Risques d'échec. Menace de chute. Nous étayons d'espoir les charpentes du cœur. Évitant les précipices, nous empruntons des raccourcis. Après chaque accélération, un temps de pause. Les maîtres trompeurs s'attachent à nous ensorceler ; nous nous bouchons les oreilles ; nous restons sourds aux flonflons publicitaires du bal masqué. La nouvelle s'est vite répandue en ville. Nous n'avons aucun intérêt à intervenir dans les querelles byzantines.

À Bois-Neuf, les zombis sont sauvagement battus par Saintil. Accrochage à Ravine-Sèche / Morceaux de doigts coupés / Chair dévorée à coups de dents / Des os broyés / Des poignets disloqués / Des mâchoires déboîtées / Des épaules désarticulées / Des fesses écrabouillées à coups de bâton / Des poitrines enfoncées / Des thorax démontés / Des abdomens étripés / Des tronçons de tripes suspendus à des branches d'arbreschandeliers / Des plaques de peau humaine tendues à l'envers sur des clôtures / Jambes et cuisses arrachées, accrochées à des barbelés / Caillots de sang maculant un amas de pierres / Çà et là, des cadavres étendus sur le sol.

Carmeleau écrase un mégot sur une branche d'orme. La mine renfrognée, il tire un mouchoir et se tamponne le visage avec des gestes rapides et secs. Philogène rit du spectacle.

— Carmeleau, pourquoi es-tu si nerveux ? Les folles colères ne suffisent pas pour détourner les houangas des riches et des puissants.

— Ils ont semé du poivre dans l'arène pour exciter les gens et provoquer la discorde.

— En quoi cela te concerne ?

— Bon nombre de personnes se sont évanouies depuis trois quarts d'heure.

— C'est un fait courant dans les arènes.

— Mais Philogène, il n'y a aucun médecin au village.

— Nous le savons.

— Saintil a confié à Zofer la diabolique mission de semer du poivre dans l'arène. Personne n'a protesté. Personne n'a réagi contre cette provocation criminelle. Et toi, tu oses dire que cela ne nous concerne pas ! Tu devrais en rougir.

— Je te le répète, Carmeleau, cela ne nous concerne nullement.

— Philogène, tu as le cœur endurci par l'égoïsme. Ta froideur devant le malheur d'autrui me révolte.

— Tu te trompes, mon ami, mon frère ! Comme toi, je souffre. Comme toi, j'ai le cœur torturé. La seule différence entre nous, c'est que moi j'ai appris à maîtriser ma colère en me moquant du malheur. Comprends-moi bien, Carmeleau. Tant que le village tout entier ne se réveillera pas pour défendre ses propres intérêts, Saintil, pire qu'un fléau, continuera à détruire, à briser les âmes. Essaie d'y penser. Et puis, garde ton calme, mon ami-camarade. Le jeu est extrêmement dangereux, sur un terrain aussi glissant. Et rien n'est plus cocasse qu'un général sans armée qui foncerait l'épée au vent contre les vagues d'une mer en furie.

Cafouillage au carrefour de minuit. Du bout de la langue, nous avons goûté du fiel et ressenti une brûlante amertume, le visage crispé par d'affreuses grimaces. Nos rêves suspendus à contre-ciel, nous avons juste le temps de souffler, de respirer, de humer une bonne provision d'air, pour pouvoir tenir sans défaillance. La machine de la mort va démarrer sur la grand-route. Avant que ne survienne un désastre, nous nous empressons de nous retirer.

Alors qu'il allait poindre à l'horizon, le soleil contrarié rebroussa chemin. Brusquement, la nuit tomba de tout son poids d'ombres et le ciel se retourna à l'envers. Il y a des lustres depuis que la saison ambiguë nous a surpris. La saison des horribles métamorphoses a depuis longtemps déployé ses bannières, et étendu sur nous ses sombres prélarts. Cafouillage au carrefour de minuit. La machine de la mort a démarré depuis des lunes.

— Avance ! Avance, te dis-je ! Marche devant moi. Je suis venu te chercher à cause de ton impertinence. Immanquablement, je vais te projeter dans une ronde infernale. Je vais te conduire dans une fournaise, dans un réduit hermétique et sans issue.

Dans l'enclos du cimetière, Saintil fait claquer à plusieurs reprises un fouet de manège, en même temps qu'il gifle Clodonis avec rage.

— Avance ! Avance, te dis-je ! Marche devant moi. Rappelle-toi la belle insolence manifestée envers moi l'année dernière. Je t'avais mis en garde. Aujourd'hui, tu vas payer le prix de tes paroles outrageantes. Avance ! Tu te targuais d'être un philosophe. Tu clamais tes connaissances par-dessus les toits, avec la fierté d'avoir été à l'école à la capitale et d'avoir bouclé tes études secondaires dans un lycée de Port-au-Prince. Tu flûtais le français mieux qu'un rat. Montre-moi ce que tu vaux réellement aujourd'hui. Par mon pouvoir, tu es transformé en zombi à cause de ton orgueil, de ton outrecuidance et de ton esprit de suffisance. Avance ! Je t'avais mis en garde. Philosophe fort en gueule ! Susurrer le français n'implique pas forcément l'intelligence. Je t'enverrai planter le riz dans les marécages, et tu mangeras la boue des lagons. J'étais fatigué de te donner des avertissements. Ce soir, tu vas marcher devant moi. Avance ! Marche !

Les coups de fouet retentissent dans les profondeurs de Bois-Neuf. Sans lune, la nuit est toute noire. Là-haut, dans le ciel, quelques étoiles éparses scintillent. Çà et là, des franges de nuages changent de forme de temps à autre. Saintil hurle à tue-tête : Avance ! Avance, te dis-je ! Marche devant moi !

Saintil conduit Clodonis par tous les chemins, par tous les sentiers. Marchant dans la poussière. Pataugeant dans la boue. Traversant les halliers. Franchissant les cours d'eau. Tournoyant. Soûlé de vertige, Clodonis sombre dans l'hébétude. Plusieurs fois, il s'écroule la face contre terre, s'écorchant les lèvres. Du sang dégouline sur sa poitrine. Le corps mutilé, ensanglanté par des épines, à peine recouvert de vêtements déchiquetés, mis en lambeaux.

— Avance ! Avance, te dis-je ! Marche devant moi !

À l'entrée de Ravine-Sèche, Saintil fait claquer davantage son fouet. Puis, il applique une rafale de gifles au visage de Clodonis.

— Je vais t'anéantir. Je te couperai les jarrets. Je te sucerai la moelle. Aucun zombi ne peut contester mon pouvoir. Je vais te jeter dans une ronde infernale. Je vais te conduire dans une fournaise, dans un réduit hermétique et sans issue. Je vais t'enfermer dans le sanctuaire de la violence. Avance ! Avance, te dis-je ! Zofer va te découper la chair en lanières. Zofer va te broyer les os. Avance ! Avance, te dis-je ! Marche devant moi !

Saintil fait le tour du carrefour, en faisant claquer son fouet par trois fois. Trébuchant contre une souche, Clodonis culbute.

Les jambes déviées, il évite par miracle de s'écraser le visage. Par des murmures, il commence à gémir d'une voix rouillée. Plaintes étouffées. Voix nasillarde. Voix d'outre-tombe. Oui ouan! Oui ouan! Oui ouan! D'un revers de la main, Saintil le frappe à la nuque.

— Ta gueule! Zombi réfractaire! Cesse de grommeler. Tu ne parleras qu'avec ma permission. Tu ne répondras qu'avec mon autorisation. Tu es totalement sous ma dépendance. Tu es le jouet de mes caprices. Avance! Avance, te dis-je! Marche devant moi!

Étourdi par la brutalité des gifles, des swings à la tête, des mornifles, et des coups puissants que Saintil lui applique du tranchant de la main, Clodonis chancelle. Ses vêtements déchirés sont maculés de sang et de boue. Boitant, il avance péniblement, les bras liés en arrière au moyen d'une corde de sisal. Saintil le bouscule à travers une végétation d'épines et de ronces.

— Sous peu, nous allons marcher sur la grand-route, à destination de mon domaine. Durant tout le parcours, tu vas crier à haute voix: voilà que passe Clodonis! Voilà que passe le philosophe de Bois-Neuf! Le voilà qui passe, le petit impertinent de Bois-Neuf!

Clodonis bougonne, murmure entre les dents, nasille d'une voix hachée, étouffée, chevrotante: oui ouan! oui ouan! oui ouan! Voilà que passe Clodonis! Réveillez-vous de votre sommeil et venez voir passer Clodonis! C'est bien moi Clodonis qui passe.

Personne ne quitte son lit. Personne n'ose parler. Aucune porte ne s'ouvre. Au contraire, tout le monde se glisse le corps et la tête sous des couvertures; on se bouche les oreilles pour ne pas entendre; on se ferme les yeux à paupières cousues pour ne point voir. Qui pis est, on se hâte de tirer le battant d'une fenêtre restée entrouverte dans une maison; on le ferme avec empressement; puis, par des bonds et des culbutes, on se précipite pour éteindre une lampe en soufflant vivement sur la mèche.

Parvenu à proximité de la maison où vivent les parents de Clodonis, Saintil s'adonne à un rituel magique ponctué de coups de fouet et de gifles.

— Arrête-toi un instant pour parler à ton père et à ta mère. Dis-leur que tu passes. Dis-leur que tu vas dans la fournaise. Dis-leur que l'on va te pulvériser les os. Appelle ta mère ! Appelle ton père ! Dis-leur donc que tu passes ! Zombi impertinent !

— Oui ouan ! Maman ! Oui ouan ! Papa ! Oui ouan ! Me voilà qui passe ! C'est bien moi votre Clodonis qui passe ! Réveillez-vous de votre sommeil et venez voir passer votre fils !

Personne ne sort de son lit. Les feuilles des arbres frissonnent au souffle du vent. Les chiens hurlent à la mort. Là-haut, dans le ciel, quelques étoiles solitaires papillotent. À l'intérieur de la maison des parents de Clodonis, s'élève une voix triste tremblotante, on dirait celle d'une femme qui sanglote, la gorge et la poitrine oppressées. Sous une poussée de colère, Saintil frappe violemment du pied contre le sol, en rugissant de toute sa force.

— Avance ! Avance, te dis-je ! Marche devant moi ! Marche ! Le moment est arrivé pour nous de pénétrer dans le hounfor. Je t'avais averti. Rappelle-toi que je t'avais mis en garde. Aujourd'hui, tu commences à payer la rançon de ton savoir prétentieux ; tu es condamné à subir les conséquences de ton impertinence. Tu vas lier connaissance avec le général Zofer, mon adjoint, le bourreau des zombis sur l'étendue de mes terres. Et puis, pas de contestation, ni d'atermoiement ! Avance, te dis-je ! Avance ! Marche devant moi !

Pelotes de chenilles entrelacées sur des branches d'arbres. Nous n'avons pas encore perçu la luminescence des papillons sur les fleurs. De temps à autre, nous butons contre des souches dans l'obscurité. Épaisseur et viscosité de la nuit. Tout au fond du cœur couve l'espoir bleuissant.

Une lune fauve, gris merle, émerge lentement derrière la montagne. De force, elle entraîne par l'entrejambe une touffe de nuages nus. Chaque soir, nous lorgnons la clarté des étoiles.

Lumière aléatoire ; et marche crépusculaire de Gaston à travers Port-au-Prince. Il cherche, palpant les nœuds et les saillies de la vie quotidienne. Incertitude des moyens d'existence. Tourne, tourne, tourne le carrousel blanc dans le vide et la virginité aveugle des jours d'infini désœuvrement. Tâtonnements douloureux aux lisières de la nuit où les étoiles s'estompent à fond d'œil sous un voile tissé de vent et de pluie balayant les galeries des magasins. Errance à travers les rues du Bord-de-Mer sur les ailes d'un moulin fou. Molles reptations de souvenirs qui le poursuivent et le livrent aux tentacules du silence. Les paysages de Ravine-Sèche. Les parties de dés chez Faby. Les réprimandes mêlées de sollicitude affectueuse de Tante Louisina. Tessons de rêves dans l'eau morte des désirs refoulés. Grignoté par l'absence, il continue pourtant ses vaines plongées sous les rudes coups de battoir de la vie port-au-princienne.

À l'affût, sur la route de Delmas, dans le voisinage d'une fabrique, Gaston a la gorge nouée de spasmes. À la limite des attentes stériles, la faim, la soif et la fatigue. Aux environs de midi, mûrissent les feux d'un soleil agressif. Chaleur femelle et moiteurs de la chair. À l'ombre d'un bayahonde, Gaston, l'air anxieux, interroge une ouvrière.

— Combien gagnes-tu dans cette fabrique ?

— Je ne saurais te répondre.

— Comment ?

— Tu comprendras peut-être un jour.

— Quel genre de travail fais-tu alors ?

— Une corvée plus pénible que le brassage des brasiers dans les forges de Lucifer.

— Pourquoi as-tu accepté un tel châtiment ?

— Mais, toi, qu'est-ce que tu viens chercher dans cette géhenne ?

— Je ne pouvais pas savoir. Je ne suis pas un habitué des grandes villes.

— Moi non plus. Comme toi, je viens de la province. Je regrette d'avoir quitté Jacmel, ma terre natale. Depuis neuf mois, je travaille ici comme une bourrique. Pratiquement pour rien. J'ai pourtant la responsabilité de mes deux enfants. J'aurais pu m'enfoncer dans le bourbier de la prostitution, si ce métier n'était pas si dur et si les trottoirs de la ville étaient jonchés d'étoiles et de paillettes d'or. Les vivres coûtent cher. Très cher. Avec des hausses de prix aussi vertigineuses que la poussée effrénée de la mer dans la baie de Jacmel.

— Quelle horreur ! Pourquoi étais-je si empressé de fuir Bois-Neuf ?

— Tu n'as encore rien appris sous le chatoiement des apparences. Tu m'en donneras des nouvelles, quand tu auras franchi le couloir ténébreux de l'enfer.

— Je n'en reviens pas. Moi, Gaston, qui croyais au paradis de Port-au-Prince ! Je subis avec stupeur les rudesses des coups de vent. Je suis à bout. Je suis fatigué de pétrir pour rien la pâte fangeuse des jours. En définitive, que devrais-je entreprendre pour gagner ma vie ?

— Serre-toi la mâchoire et les hanches pour brasser les brasiers dans les forges de l'enfer.

Exiguës, délabrées, coiffées d'un toit crevé, à flanc de nuit, nos maisons, construites avec des débris de caisses de hareng saur, ressemblent, à fleur d'ombre, à des boîtes d'allumettes à l'intérieur desquelles retentissent à longueur de journée les cris d'une cohorte d'enfants malingres qui pleurent de faim. Nous ne disposons guère d'espace pour nous étendre. Impossible de dormir confortablement. Horizon de ciel profond. Les yeux ivres d'étoiles bues. S'il nous arrive de somnoler quelques fois, nous sombrons aussitôt dans d'horribles cauchemars. Réveillés brusquement, nous éprouvons un épouvantable vertige avec la sensation que nous revenons de loin. Dissolution laiteuse. Nous dormons d'un faux sommeil, tissé de mensonges bleus. Et même en rêve, les yeux fermés, nous nous chamaillons pour une brassée de poussière et de vent. La rivière en crue a quitté son lit. Nous nous sommes fourvoyés à contre-courant.

Dimanche monotone et blafard. Jour fade et blanc que déteste Gédéon. Jour triste filtrant goutte à goutte la nostalgie au fil des heures. Dévoilement du temps aux obscures profondeurs. Écrasé de solitude, Gédéon se souvient de sa femme, de ses enfants qui, depuis des années, vivent à l'étranger. Griffures d'ombre et de lumière entre l'égarement et la conscience. Ils ne lui ont jamais écrit. Simplement, ils lui expédient par trimestre un misérable chèque. Sans envoyer de nouvelles. Sans en demander non plus.

Semences de ténèbres, larves de folie, coulée d'injures, en même temps que vagues plaintives. Râle et lamentations. Houle et roulis de la mémoire. À longueur de journée, Gédéon soliloque. Par de molles épaisseurs intérieures, je cherche. Qu'est-ce que je cherche au fond ? Pourquoi suis-je en train de chercher ? Il est vraiment trop tard pour moi. Horizon zéro. Ma vie s'est effondrée. Ma braguette s'est encrassée de malédiction. Paupières closes des abîmes où s'anéantissent mes chances. Rideaux de velours, manteaux de laine, tissés de mes mains pour réchauffer le corps des ingrats. Quel étrange coup du sort et quel revirement catastrophique ? Béance aveugle. Tout autour de moi, des panneaux éventrés. Encombrante solitude. Déchéance malsaine. Je suis ravalé au niveau d'un chien. Quel poison aurais-je absorbé pour que la guigne champignonne ainsi sur mon corps ? Écœurante perfidie de la femme à double visage. Jeu dangereux. Jeu de fou. Les imprudences de ma lointaine jeunesse. Aujourd'hui, je subis le contrecoup de mes folles plongées dans le mensonge du sexe. Entre la démence et la lucidité, il aura suffi d'un rien pour échapper aux ventouses poisseuses du remords, ou pour que la mort nous enchaîne en pleine conscience. Ah ! Si je savais ! La boule sans mémoire n'a guère besoin de support pour rouler dans le vide infinitif. Malheur. Imprévisible malheur. J'ai perdu à la fois sur les chiffres et les couleurs. Exhibition carnavalesque. Masques d'enfants naïfs. Masques d'adultes indécents et grotesques. L'envers des visages mis à nu, sous des déguisements farfelus et trompeurs. Le lait du miroir se décompose. Les méninges pourrissent. Trébuchant contre d'infinis obstacles, où prendre appui pour éviter les chutes mortelles ? Convulsions d'un corps d'ombre coincé dans un détroit de lumière broussailleuse. Vent de peur. Éboulement. Les guignons s'accumulent. Ils ont épuisé mes ressources. Ils ont coupé de l'herbe sous mes pieds. Mon corps se délabre. Moi qui jadis étais si fougueux ! Beaucoup de flafla pour rien. La douleur serre ses écrous à mes jointures. Mon mariage, une véritable condamnation à traîner des chaînes et des boulets. Il eût mieux valu pousser de lourdes brouettes toute ma vie. Meurtrissures. L'ingratitude venue des profondeurs viscérales. Vacarme anarchique. Bouche pâteuse. Les nerfs à vif. Je suis un vieux coq malade. Déferlement de voix. Croix des loas gémeaux. Croix de la mort. Ô marassas mes amours ! Un vendredi de carême, j'ai rencontré la femme, agenouillée au pied du Calvaire. Je l'ai aussitôt aimée. Je n'ai pas cessé de la fixer des yeux. Chavirement d'un soleil de plomb. Elle me toisa. Les faibles ne s'engagent pas. Les âmes fragiles ne devraient pas se risquer. Quelle tapisserie de mouches sur la table ! Quel étalage de poussière ! Quelle merderie !

— Rita ! Où t'es-tu donc fourrée ?
— Plaît-il, tonton.
— Aujourd'hui, c'est dimanche.
— Oui, tonton.
— Tâche de nettoyer la maison.
— Oui, tonton.

84

— Arrose le plancher pour que la chambre soit bien fraîche.

— Oui, tonton.

Gédéon se relève. Il se penche pour ramasser une pile de vieux journaux jaunis sous une table en acajou. Puis, il s'enfonce dans d'interminables recherches.

Pour un rien, nous nous attroupons dans les rues, sans jamais savoir ce que nous regardons, ni ce que nous cherchons. Par des chemins râpeux, veinés de pierres, nous voyageons à travers les articulations nocturnes. Barbotant dans d'infects marais, nous espérons changer d'itinéraire. Mais, notre mémoire, criblée de trous, traversée de failles, flotte vaporeuse entre le rêve et l'insolite. Pour empêcher la fuite de nos idées, nous nous enveloppons la tête d'un jeu de mouchoirs. Condamnés à porter de très lourds fardeaux qui nous pèsent sur la tête, sur le cou gonflé de veines dilatées, sur la nuque, nous préparons un coussinet enroulé en forme de couronne.

Notre cœur piaffe de désir et d'impatience. Une femme dans les fers crie à tue-tête. Nous nous précipitons nu-pieds dans les bois. À travers un champ de cactus. Marchant sur des tessons. Nous nous acharnons à escalader les montagnes, à grimper les arbres. L'enfant, que nous attendons, a le crâne engagé dans le col du bassin. Or, voilà que nous courons en vain après le vent. Malgré la rigueur du cerclage, l'avortement s'est produit. Le cordon, effrité, limé, pourri, s'est rompu. Qui plus est, en maintes fois, nous ouvrîmes nos flancs à l'ennemi. Par les âpres versants du vent, nous fûmes projetés hors du voyage, dans un coin perdu. Battements d'ailes et vol noir d'oiseaux épouvantés vers d'autres lieux de migration. Pour notre salut, nous fûmes réduits à une fuite honteuse.

Trahison. Cocuage. Orgasme du serpent. Semence de l'ennemi. Complicité de la maquerelle. L'enfant n'est pas le fruit de nos œuvres. Terre renarde en ses lignes de fuite insaisissables. Raison de nos tourments intérieurs, le chavirement de l'amour suffit à nous bloquer le cœur. Irréversiblement. Pourtant, nous continuons

à rechercher notre enfant dans la mystérieuse alchimie des copu-
lations sanglantes. Notre véritable fils. L'authentique graine qui
devra germer de notre chair, de notre fièvre d'ensemencement.

Ô pur sang natif cassant les fêtes barbares de l'exil ! Même si
nous nous tordons de douleur, nos reins ne sont pas abîmés pour
autant. Même si nous nous courbons sous le poids des fardeaux,
nous poursuivons notre quête. Ardents, infatigables, nous nous
élançons aux trousses de la jument rusée. Rougeoiements du cré-
puscule. Nous recommençons à tâter la vie, avec l'espoir de retrou-
ver l'enfant qui devra naître de notre chair, de notre sang.

Camouflage d'un faux amour. Ils ne nous prendront plus au
piège. Au col étroit de la route, nous barrons le passage aux che-
vaux futés. Le jour où nous parviendrons à capturer la jument
et la mule sauvages, un attelage de lumière déferlera du haut des
montagnes jusqu'aux confins des plaines.

Juste avant de franchir la barrière du péristyle, Saintil
déverse avec fureur une rafale de coups de fouet sur l'échine de
Clodonis. Avance ! Avance, te dis-je ! Marche devant moi ! Et,
aveugle et sans mesure, le houngan fait pleuvoir une dégelée de
coups de lanière sur les épaules de Clodonis qui, le corps lacéré
de banderilles, se tord de douleur, titube en beuglant interminablement : oui ouan ! oui ouan ! oui ouan !

Zofer se précipite au seuil du hounfor, accompagné de
Sultana. Ensemble, ils entonnent un chant sacré aux paroles
et aux notes macabres. Saintil, à son tour, débite un langage
ésotérique, un flux de formules magiques, ponctué de domi-
nantes rauques et gutturales. Puis, d'une bourrade, il catapulte
Clodonis à l'intérieur du péristyle.

— Zofer ! Suprême laplace ! Nous allons tâter les os de la
nuit.

— Oui, chef. Je suis déjà prêt pour le dépeçage.

— Rassemblez immédiatement tous les zombis dans la cour.

— Oui, chef.

En moins de temps que ne prendrait un chat pour bondir, une cohorte de zombis sont alignés en colonnes muettes. Sultana s'approche, s'immobilise à côté de son père. Zofer saisit, par le manche, un fouet imbibé de vinaigre. Saintil empoigne un asson et une clochette qu'il agite aussitôt par des gestes saccadés.

— À genoux ! Bande d'abrutis ! Bande de dénerflés !

Tous les zombis s'inclinent, s'agenouillent, la tête baissée nonchalamment, les deux bras noués, disposés en arrière. Silence lourd. Mutisme absolu. Zofer enlève les vêtements de Clodonis qui, tout nu, l'air hébété, se tient debout près du poteau-mitan. Saintil enveloppe la chemise, le pantalon, la chemisette, le caleçon dans un morceau de tissu de Siam. Il en forme un paquet sur lequel il verse rituellement une bouteille de clairin et une allumette enflammée. En un clin d'œil, la pile de vêtements flambe. Saintil récupère la cendre dans un coui. Clodonis reste figé, debout, complètement nu, la tête baissée, les bras pendants. Sultana regarde curieusement le jeune homme à la puissante carrure. Elle regarde avec insistance. Avec ivresse. Sans se détourner. Le cœur piaffant d'émotion, elle éprouve soudain un étrange vertige, les yeux toujours rivés sur Clodonis.

Le visage renfrogné, quatre plis au front, Saintil agite l'asson avec nervosité. Au seuil du hounfor, il dessine les trois croix d'un vêvê en semant de la farine de maïs sur le sol. Puis, il recule près du poteau-mitan, en esquissant un geste vif de l'épaule. Au même instant, Zofer se déplace et applique une paire de gifles sonores sur les joues de Clodonis. Sultana sursaute de saisissement. Son cœur brusquement s'emballe dans un épouvantable galop. Chamboulement et entortillement des entrailles. Brassage de l'estomac sur le point de se retourner à l'envers. Opacité et lourdeur de l'atmosphère. Sultana lutte avec acharnement pour surmonter sa nausée. Elle fixe le regard sur la foule des zombis à genoux, en s'efforçant, par une concentration soutenue, de reprendre ses sens.

Saintil saisit rageusement une bouteille de tafia infusé ; il en avale trois gorgées successives. Il se dirige dans la cour, fait le tour du hounfor, et revient sous le péristyle, le visage crispé, menaçant, affreusement métamorphosé.

— Zofer ! Je veux sucer le sang des étoiles dans le bassin de Linglessou.

— Oui, chef.

— Rasez proprement le crâne de Clodonis. Frottez et aspergez-lui la tête de lait de bousillette.

— Oui, chef.

— Ensuite, baptisez-le avec la cendre recueillie dans le coui.

— Oui, chef.

Saintil avale trois autres gorgées de tafia. Agitant l'asson, il s'approche de Sultana qui continue à lutter de toutes ses forces pour ne pas s'évanouir.

— Sultana, mon enfant.

— Oui, papa.

— Prépare la chabraque de Clodonis. Le nouveau zombi devra être harnaché, sellé, cette nuit même, pour son intégration dans l'immense famille des démembrés.

— Oui, papa.

— Tu le placeras dans la dernière pièce, à l'extrémité de la cour, là où les ombres se durcissent au contact de la chair.

— Oui, papa.

— Il ne faudra rien lui donner, jusqu'à demain.

— Oui, papa.

— Ni à manger. Ni à boire.

— Oui, papa.

— Après-demain, tu lui feras avaler un bouillon clair, sans épices, sans sel et sans légumes.

— Oui, papa.

— Par ailleurs, mon enfant, n'oublie jamais que l'usage du sel est strictement prohibé dans l'alimentation des zombis. Ne l'oublie jamais, ma fille bien-aimée !

— Oui, papa.

Violence des aubes tropicales et grappe fleurie de crépuscules flamboyants, tandis qu'un silence désœuvré grimpe des étages d'ombre. Fugacité des images. Fuite du temps. À Bois-Neuf, à Ravine-Sèche, il souffle un vent de terreur. La voix de Saintil plane menaçante par-dessus les toits ; son pouvoir s'étend incommensurablement sur chaque pouce de terre. Les paysans, asservis, appauvris de plus en plus, livrés à leur misère, n'ont ni la force de réagir, ni la velléité de protester. Toute la tribu, noyée dans la peur, claque des dents. Ailes déployées, des nuées de corbeaux, de malfinis et de fresaies enlugubrent la région de croassements et de hululements. Les entrailles faméliques, le corps noué de douleur, la poitrine oppressée, toute la population croupit dans l'inertie. Enraciné dans la pratique du crime, aimant passionnément son métier de bourreau, virtuose de la torture, Zofer excelle dans l'art du dépeçage et du broyage. Clodonis et les autres zombis, modèles de soumission, d'inconscience et d'hébétude, enveloppés d'ombre et de silence, travaillent inlassablement dans les rizières marécageuses. Pourrissement des saisons. Mûrissement des fruits de l'orage. Labourage des terres intérieures. Sultana a beaucoup changé. Santé fragile. Maigreur alarmante. Pâleur du visage. Flétrissure des lèvres. Amertume du regard. Maladie énigmatique. De tout son corps s'exhale une infinie tristesse. Toutes les avances affectueuses de Saintil, agrémentées de tout un raffinement de caresses, la laissent absolument froide. Ses pensées flottent dans un ailleurs brumeux, une sorte de brouillard épais qui lui voile les yeux et lui recouvre le corps de givre. Le comble, personne ne parvient à deviner les raisons d'une telle langueur et d'un dépérissement si soudain. Vraiment, personne n'y comprend rien.

Souci de prudence. Peur ankylosante. Jérôme s'encroûte dans une pénible et honteuse clandestinité. Existence empoisonnée d'angoisse, réduite à l'espace d'un grenier. Le matin, il s'empresse de grimper une échelle jusqu'au galetas où il passe la journée. Le soir, aux premières poussées de la nuit, les pieds empêtrés à travers les barreaux de l'échelle, il descend furtivement du grenier.

Chez Gédéon, la petite Rita, bête de somme inlassable, mûrit, au fil des années, dans les corvées domestiques. Rêve cul-de-jatte. Mémoire décapitée. Escalades et dégringolades de l'escalier branlant de la vieille maison qui, malmenée par de nombreux cyclones, chancelle sous les éperons du vent, tout en tenant le pari de ne pas s'effondrer. Record de résistance. Mystérieux défi dans le quartier. Gédéon, par contre, décline de jour en jour, à demi paralysé dans un lit, gravement atteint par les incessantes attaques des douleurs rhumatismales.

À travers les rues de Port-au-Prince, Gaston traîne à la dérive. Furetant dans tous les coins. Tantôt chômeur, tantôt ouvrier saisonnier. Pour survivre dans l'enfer de la ville, il accepte les travaux les plus pénibles, les plus abjects. Pourtant, il n'a jamais réussi à amasser la somme qui lui eût permis de retourner à Bois-Neuf. Eaux tourmentées. Dépression brutale. Spirale de silence. Creux et vertige. Il demeure pratiquement sans nouvelles de Tante Louisina. Ne sachant absolument rien des couleurs du temps ni des odeurs de la vie à Ravine-Sèche. Déracinement total. Errance aveugle. Voyage aléatoire de la feuille arrachée, emportée par le vent, voguant au fil de l'eau, tournoyant dans une meute de poussière, fouettée par les biffures de la pluie, barbotant dans les salissures boueuses. Ballottement au gré des frémissements du temps. Déroutantes vicissitudes. Gaston traîne son existence, çà et là. D'aventure en aventure. Une nuit, il dort à La-Saline. À la percée de l'aube, il se réveille au Bel-Air. Le lendemain, il s'égare à La-Cour-Bréard. Le surlendemain, il se fourvoie à La-Cour-Kodjo. Maître-marcheur, il se faufile partout. Explorant tous les recoins de la capitale. Sa pauvre cervelle labourée par une idée fixe, le fol espoir de regagner un jour sa terre natale avec suffisamment d'argent pour y vivre comme un seigneur. Mais, malgré les tours de reins, les acrobaties, les empoignades et les jeux de pieds, Gaston continue infructueusement à battre le macadam de Port-au-Prince.

Passe le temps, avec l'inconscience du fleuve qui coule sous les ponts. Alternance de silence et de bruit dans l'étalement des aubes et des crépuscules. Fidèle aux vieilles traditions de la maison, prisonnière de tout un réseau d'automatismes et d'habitudes, Sultana prépare la nourriture quotidienne des zombis, selon le même rituel qui interdit l'usage du sel. Pourtant, elle a beaucoup changé. Bâillements et palpitations des vulves du désir. Ses pensées tourbillonnent dans un ailleurs ténébreux, avec une sensation à la fois de fuite et d'immobilité. Quand Saintil lui parle, elle répond avec une sorte d'étreinte douloureuse à la gorge, la voix brisée par d'invisibles arêtes. La nuit lui a dévoré les yeux. Elle souffre d'une affreuse insomnie, traversée par un fleuve énigmatique, brûlée par les laves d'une passion muette. Concubinage d'ombres veuves de leurs corps. Elle éprouve une soif indicible. Chaque fois que Saintil s'approche de son lit pour une tentative de dialogue et de sourdes caresses, Sultana ressent, même à distance muette, le bouillonnement dans ses veines agacées d'un sang rebelle, révélation d'un supplice obscur. Présence qui ne lui inspire que tourments, tribulations, gémissements, pleurs, coliques aiguës, raidissement et crispations. Alors, dérouté par un comportement aussi insolite, Saintil fulmine de rage contre la nuit tombée soudain sur la chair apeurée.

Sultana est profondément troublée, obsédée, enfouraillée dans un noir labyrinthe, depuis la mémorable nuit où Clodonis a été incorporé dans la famille des démembrés. Jadis, au fond de ses yeux, brillaient des broderies d'étoiles en dentelle. Aujourd'hui, sur son visage défraîchi, un sourire, un rictus de femme triste. Ombre dans l'indécence des ruines et des décombres à odeur de solitude. Frôlée par des ailes d'oiseaux fous, elle dépérit sur un arbre effeuillé.

Quelquefois, profitant de l'absence de Saintil et des escapades de Zofer embroussaillé à corps perdu dans des beuveries, Sultana se glisse furtivement dans l'appartement des zombis. Pressant fougueusement la main de Clodonis, elle l'entraîne à l'intérieur d'une chambre isolée.

— Clodonis ! Je m'entortille, me défaufile et m'effiloche dans le flou de ton sillage. Je t'aime, Clodonis. Je m'ennaufrage à te poursuivre sans te saisir. Et je chavire de trop d'amour, ayant perdu la carte et la boussole depuis la nuit où tu as franchi le seuil du péristyle.

Muet, égaré, apathique, Clodonis n'a conscience de rien. Malgré les paroles et les caresses de Sultana, toutes de tendresse, d'excitation charnelle et d'attouchements ardents, il demeure insensible, sans ressort, invariablement froid.

— Clodonis, je t'aime plus que mes yeux, plus que moi-même. Je suis terriblement lassée de Saintil et de Zofer. À ma gorge, se resserre un nœud d'asphyxie. Je suis à bout. J'étouffe. Je rue et je m'emballe. Toi, tu avales passivement des tonnes de crapauds et de lézards. Il semblerait que tu vives à l'abri de la douleur et de la souffrance. Serais-tu privé de nerfs ? Ton sang se serait-il gelé dans tes veines ? Ton inertie m'agace et me décourage à la fin.

Clodonis reste figé. Hébété. Sans âme. Sans conscience. Sans vie. Ses bras pendent immobiles le long d'une masse amorphe. Son crâne, complètement rasé, reluit sous les sombres lueurs d'une bougie. Le corps enveloppé, des pieds jusqu'au cou, dans une vieille chabraque décolorée. La tête baissée, les yeux fixant ses orteils. Les épaules distordues, dissymétriques. La langue pendante. Un filet de bave gluante lui coule de la bouche jusqu'au sol.

— Clodonis, je voudrais au moins entendre ta voix.

— Oui ouan ! Oui ouan ! Oui ouan !

— Clodonis, je voudrais m'enfuir avec toi. Filons tout de suite à travers les bois, loin de l'habitation, loin de l'enfer des marécages. Accrochés l'un à l'autre, chatouillons les flancs de la cavale du vent.

Clodonis ne répond pas. Sous la chape d'inconscience qui lui recouvre la mémoire, il ne peut même pas discerner le jour de la nuit. La faible lumière, voilée dans la pénombre, ne traverse guère le dérisoire écran des paupières entrebâillées. Sultana ne peut s'empêcher de pleurer. Son visage, assombri de larmes, n'exprime qu'amertume et désarroi. Au fond de ses yeux, un sentiment de naufrage. À genoux, agrippée aux jambes de Clodonis, elle pleure, corps vautré en son ombre écrasée. Un instant plus tard, elle se relève, marche, fait plusieurs fois le tour de la pièce, se roule par terre comme une folle, s'arrache les cheveux. Les narines dilatées de désir, elle bondit, embrasse Clodonis, l'investit de vagues successives de caresses, lui pétrit vigoureusement la poitrine, lui palpe toutes les parties intimes du corps, lui tâte le pubis et la houlette, lui meurtrit voluptueusement la sacouille en farfouillant sous la chabraque. Néant ! Pas le moindre soupçon de vitalité.

— Clodonis, prends-moi ! Baise-moi. Couche-toi sur mon corps. Dévore-moi. Je me soumets tout entière à toi seul. Sois mon barbare. Dégalbe-moi. Enivre-toi de ma substance. Désentripaille mon ventre. Défonce-moi. Fracasse mon navire. Ennaufragèle-moi.

Rien ne vibre chez Clodonis, masse inerte et flasque. Sultana, exaspérée, telle une envoûtée furibonde qui aurait absorbé du poivre, saute au collet de Clodonis, lui massacre le corps d'égratignures et de morsures, le bouscule, l'entraîne brutalement, le pousse avec rage jusqu'à l'intérieur de l'appartement des zombis. Puis, elle court se réfugier dans un coin de la maison, impuissante à réfréner une crise de larmes.

Les ergots des coqs de combat sont bien aiguisés. L'ambiance du gallodrome est surchauffée. Les amateurs s'entassent sur les gradins. Carmeleau et Philogène échangent des propos autour des paris qui s'engagent. Un démêlé de coups de pattes / Le premier combat commence / Nous allons jauger nos coqs en les plaçant face à face, bec contre bec. Prenons garde que des amateurs rusés ne glissent des pintadines dans l'arène. Une immense clameur s'élève / Le scandale éclate / De quel côté penche la balance ? Au-dehors, un inextricable enchevêtrement de paroles. Soif et marchandage. On nous a vendu un poulet chétif qui ne pèse que le poids de son plumage. Le régime de bananes flotte, fakir volant, grappes de flûtes engrossées par le vent. Le dieu de l'argent funambulise sur des branches de nuages / Étau des mâchoires / Concert grinçant des chaînes / Déferlement des ombres / Un bâton-piège est dissimulé entre les jambes de Saintil / Le dézafi bat son plein.

Cris d'insectes suffoqués / chants d'oiseaux étranglés / hennissement de chevaux crevés / gémissements de voyageurs morts / le désert buissonne de voix éteintes / L'amour ne saurait s'accommoder du truquage / À l'envers du décor, le maquillage des bas-fonds stériles et secs / Dans le Corridor Prison des Femmes, le Corridor Sept Coups de poignard, le Corridor Fourmi, le Corridor La Terreur, une multitude d'enfants faméliques charbonnent des graffiti sur les tôles des clôtures. Vagabondant à travers les rues des quartiers pauvres, ils tracent un réseau de gribouillages et des dessins bizarres sur les trottoirs et les caniveaux.

Terre sèche parsemée de ronces / Terre d'éclipse encore frémissante du piétinement insulaire des sangliers disparus et des lunes flibustières / La meute animale martèle la dure absence / Plus de récolte dans les régions assoiffées de pluie / Et pas une goutte ne dégoutte / Pourtant, il suffirait d'une gouttelette, pour qu'il nous soit possible de renverser les cloisons du silence et de poursuivre notre marche. Or, toute la terre peut changer en un seul battement de paupières.

Ils se sont immiscés dans nos affaires. Ils voudraient nous porter à regarder le monde, la tête renversée. Révoltés, nous bondissons sur une étendue de pierres ; nous gagnons les rues où nous ramassons des cailloux (les maudites biscottes de l'État) ; puis, avec la rage de la faim, nous bombardons nos ennemis de plusieurs rafales de galets. Désirs insatisfaits / Marche bélière de la douleur / Charge de souffrances / Méditation et chagrin au fond de notre âme amertumée de silence / Pour ne pas fléchir, nous lançons vivement notre cœur au loin ; rebondissant sur le sol, il s'élève, monte et disparaît dans les infinies profondeurs du ciel.

Eau stagnante / Mare nauséabonde / Les porcs barbotent de joie dans la bourbe / D'horribles puanteurs s'exhalent de la boue.

Pourquoi avons-nous fait le vœu de nous vêtir de toile d'emballage tissée de fibres grossières ? Rien que mascarade, bouffonnerie, Mardi Gras et masques blêmes, tandis que nous gravissons l'escarpement d'un calvaire. Bien avant la sentence, les couteaux sont aiguisés, les armes fourbies. Nous faisons bouillir de l'eau pour ébouillanter le coq de mauvais augure avant qu'il n'embouche la trompette du malheur et de la mort. Ayant lessivé nos linges de lit dans l'eau du fleuve, nous avons décidé de rompre avec les scatophiles et les coprophages.

Gaston est un parasite toujours à l'affût. Au cours d'une de ses interminables quêtes nocturnes, il surprend le pasteur Pinechrist en train de franchir à toutes jambes la clôture d'une maison voisine, presque nu-corps, la chemise débraillée, le pantalon à mi-mât, les chaussures entre les mains. Fugue érotique à pas feutrés. Gaston pousse un cri d'étonnement. Panique chez le pasteur Pinechrist. À partir de cet événement, s'établit entre eux un pacte tacite. Paradoxale alliance entre le chat et le rat liés par un troublant secret. Indissoluble amitié entre deux larrons. Avec une ostensible ferveur, Pinechrist continue à prêcher l'Évangile, tandis que, derrière le paravent de la respectabilité pastorale, il fornique avec rage, aidé de Gaston, son fidèle assistant.

Quelle sangsue nous suce le sang sans éveiller le moindre soupçon ? Quels termites rongent nos rêves ? Le soleil s'estompe par-delà une efflorescence de nuages, portant ainsi des poules idiotes à jucher sur des branches en plein jour.

Les cyclones ont dévasté nos champs, saccagé nos chaumières, semant sur leur passage la mort brutale, la folle désolation. Brassage et ventripotence de vents mercenaires. Piaffements hystériques dans la boue. Nous n'oublierons jamais les clowneries des maîtres-jongleurs.

Les gosses d'antan s'amusaient à cœur fou à des jeux variés : le mayamba ; les parties de football dans les rues ou sur des terrains vagues, avec des balles fabriquées à l'aide de lanières élastiques ou de déchets de tissu ; l'usage de vieilles marmites, de boîtes de conserve et de noyaux d'avocat en guise de balles dans les compétitions sportives improvisées sur les trottoirs ; les billes de cristal multicolores aux reflets huileux ; les flâneries interminables sous le soleil ; le saut à la corde. Avec le temps, tous ces jeux ont disparu de nos mœurs. Songerie d'oiseau malade. Poussière d'ombre à contre-source de la lampe nostalgique. Modification du décor, la lune aurait changé de quartier. Mais, avons-nous réussi à accrocher nos rêves à portée de la main ?

De toutes parts assiégés par les fourches de la faim, nous étouffons sous le poids de nos misères. Nos ennemis médisent de nous ; ils nous traitent péjorativement de primitifs ; ils ne s'imaginent pas que nous ayons le courage de marcher à longueur de journée sous les javelots et les coups de griffes d'un soleil de proie. Cuirassés

d'expériences, imbus de nombreuses tactiques de combat, cher-
chant sur quel pied entrer dans la danse, nous avons appris à rire,
même dans les affres de la faim. Mais, quelle astucieuse sangsue
nous suce le sang sans éveiller le moindre soupçon ? Quelle colonie
de termites rongent nos rêves ?

L'envie survit dans l'instabilité croissante de l'ombre et de
la proie. Promptitude de l'esprit et faiblesse de la chair, dit-on.
Saintes prospections à travers les forêts et les deltas du sexe. Le
pasteur Pinechrist est dévoré par le désir sacré de picorer sous la
jupe des sœurs protestantes qui fréquentent son église. N'ayant
jamais cessé de fourgonner discrètement les femmes de ses frères
en Jésus-Christ, il franchit à la dérobée les clôtures des voisins,
sous le voûtage obscur de la nuit.

Gaston a juré qu'il finira par extraire du sous-sol de l'île de
La Gonâve une jarre remplie de pièces d'or (des carolus et des
doublons), en même temps qu'il décrochera le premier lot à la
borlette. En attendant cet exploit, il vit aux crochets du pasteur
Pinechrist, dans le giron des missions protestantes américaines.
Se vautrant dans le maïs, la farine, le lait, les amas de vêtements
odéides, les piles de chaussures Kennedy, et toute la gamme des
déchets expédiés sous forme de dons par les États-Unis d'Amérique. Parasite comblé, heureux de grappiller, sous la table des
riches, les miettes du festin, Gaston remplit un véritable rôle de
sous-fifre au service du pasteur Pinechrist.

Qui serait l'auteur du scandale public ? Les rumeurs d'une
orageuse altercation attisent notre curiosité. Les feux du combat
nous attirent. Percevant une voix de femme qui nous appelle de
l'autre côté de la voie ferrée, nous nous précipitons à sa recherche.
Choc et traumatisme. Nous constatons un délit de viol dont serait
responsable le baka aux pieds enchaînés. Se tenant sur les mains,
la tête renversée, il a les nerfs à fleur de peau. Usant de strata-
gèmes, le questionnant avec beaucoup de tact, nous parvenons à

lui arracher l'aveu complet de tous ses forfaits. Ô terreur du miroir miraculé qui, en ses jeux de brisures, multiplie nos fantômes et nos fantasmes ! Folie que de vouloir chevaucher l'ombre adultère qui nous poursuit à rebours.

La malédiction pèse sur le scarabée condamné à rouler des boules d'excréments dans un espace où puent la charogne et la mayonnaise en fermentation dans les latrines remplies à ras bords. Nous avons un besoin urgent de vidangeurs. Les fossoyeurs ricanent ; ils jubilent en riant du cercueil fendu de part en part. Béance à odeur de chair pourrie. Décomposition bleu verdâtre. Nous nous empressons de nous boucher les narines. Déferlement de la ribouldingue et de la brindezingue, en un lieu de pourrissement et de paysage malsain. La saison des fruits avortés se prolonge. Diversion, défoulement, tactique de combat, exercice d'entraînement. La musique du Ras-Bordage s'anime. Si nous restons encore indécis, c'est que nous cherchons vraiment sur quel pied entrer dans la danse.

On tolère à tort les amateurs qui introduisent des pintadines dans le gallodrome. Désinvolture / insouciance / laxisme. Carmeleau et Philogène feignent l'indifférence pour ne pas s'attirer de vains malheurs. L'oiseau, qui a voulu conquérir pour lui tout seul les infinies altitudes bleues, revint privé de plumes et chargé d'ombres. Ils nous mènent la vie dure. Le coq tourbillonnaire jouit de la faveur du public. Les pleutres abandonnent l'arène. La locomotive infernale a démarré.

Clameurs des combats au milieu de la nuit encrêtée de sang.

Nos cœurs bourgeonnent. Dans un coin du cimetière, près d'une tombe fraîchement creusée, Saintil vocifère un langage ésotérique, un flux de sonorités rauques et gutturales.

Zofer apprête son fouet. La langue des zombis pend hors de leur bouche. Ils nous persécutent sans trêve. Les indicateurs envaselinés nous désignent du doigt. Ils nous maltraitent.

Persistance de la malpasse. Nous avons éconduit les calomniateurs et les professionnels de la critique négative. Nous les avons repoussés avec dédain.

Ils nous ont choisi comme boucs émissaires.

Victimes entortillées dans les cordes du malheur, les zombis marchent en regardant leur ombre. Nous vivons avec une partenaire stérile. N'était la mort de notre premier-né, nous aurions aujourd'hui une nombreuse progéniture. Adieu ! Grand-Mère ! Si le grain meurt, nous ne verrons la germination de l'arbre qu'à travers les paupières mi-closes des rêves ensemencés d'échec et de chagrin.

Un immense complot est tramé pour notre perte. Comment choisir entre la rage du chasseur et la cage du dompteur ? Ils voudraient nous plomber les roupettes et filanguer nos manchons. Prestement, nous nous levons, sur nos gardes. Ils regardent nos aubergines, les observent et les palpent en riboulant des yeux. Pour les dissuader de leur projet émasculatoire, nous leur parlons de jeux inoffensifs auxquels se livrent d'habitude les anolis musiciens. Virtuosité masturbatoire dans l'incendie bleu du miroir. Personne ne nous répond. Personne ne se soucie de nous. Un vieillard éclate de rire interminablement, les mâchoires garnies d'une horrible oursade de dents cariées et pourries. Inapaisable chagrin. Nous voyageons dans un boumba, voguant à travers les brumes de l'incertitude. Nous percevons faiblement une voix de femme. De jeunes téméraires s'agitent d'impatience ; ils s'empressent de se montrer au grand jour. Imminence du danger. Nous gardons un calme lucide. Nous ne sommes pas encore cuirassés pour affronter le malheur et son escorte funeste ; nous ne sommes pas encore prêts pour l'épreuve du feu ; nous ne pouvons pas pour le moment marcher nu-pieds sur des braises. Nous attendons la percée jaculatoire d'une aube sauvage, la floraison d'un soleil aguerri. Entretemps, nos jambes fléchissent sur une route semée de gravats ; nos genoux touchent le sol dur ; les arêtes des pierres émergent menaçantes. Nous nous écroulons, la face contre terre. Blessure. Sang. Douleur et douleur. Puis, nous nous relevons péniblement, en esquissant avec notre ombre une danse macabre.

À nos trousses, un escadron de flammes meurtrières. Ils voudraient nous faire sombrer dans la déraison. Hivernage. Inanité des colères effritées par les vents des précipices qui se déchaînent contre nous. Les avalasses et les rivières en crue nous déboulonnent les reins, nous brisent les côtes. Hourvari de clameurs. Charivari pour charrier les pusillanimes. Le combat s'engage, provoquant la panique des chiens errants. Effusion de sang. La nausée nous affadit le cœur et nous pilonne l'estomac. Nous vomissons de la glaire. Mais, qui aura dit le dernier mot ? Épuisement. Fléchissement. La marée remonte. Promptement, nous nous esquivons. Nous cédons à notre double une part d'espace, une haussière pour le halage. Marqueterie de paroles abolies. Nous laissons à notre double le loisir de s'exprimer.

L'arène est jonchée de gratte-cul. Pour ne pas être tentés de toucher aux appâts, nous ne restons pas figés à la même place. Pour ne pas nous laisser prendre au piège, nous nous remuons, refusant d'élire domicile en un lieu de picotements et d'amertume.

Zofer happe la nourriture de la bouche de Clodonis.

Promesses postiches. Offres factices.

Mariage de soleil et de pluie pour un arc-en-ciel fugace, un court-métrage de météores. Saintil se moque des zombis qui ouvrent toute grande la bouche pour se délecter de l'élixir de la lune blessée, dans le vacarme millénaire d'étoiles anonymes.

L'œil aveugle de la douleur palpe l'amour en sa ligne de rupture. Sultana est torturée de chagrin.

Où caréner l'amour naufragé si ce n'est sur les sables humides de la mémoire ? Les sens s'anéantissent dans la stagnance des heures embrumées.

Douloureuse enflure à la cheville de Gaston.

Le deuxième combat a commencé. La machine-de-minuit écrabouille la chair et les os, hachonne les jambes du noctambule. La machine-de-minuit fonctionne au sang. Les amateurs de haut rang s'affrontent dans des paris d'envergure.

Nous nous éclipsons tôt. Toute la question est de savoir comment l'hirondelle pourrait dormir tranquille dans le lit de l'oiseleur. Le téméraire s'en sortira à ses frais ; il se débrouillera comme il pourra. Le guêpier est décoré de fleurs attrayantes. Nous tombons dans de naïves embuscades. D'innombrables cours d'eau à traverser. De nombreuses falaises à côtoyer.

Nous nous sommes exercés à intercepter les coups lancés contre nous dans les épaisseurs ténébreuses. Éclairs des machettes. Alibé s'escrime à jouer du bâton.

Le responsable des vannes n'a pas distribué l'eau dans les rigoles. Nous n'avons pas pu irriguer nos terres. Dans le grenier, Jérôme suffoque d'indignation. Plaie chronique / Abcès crevé / Mouches agglutinées en conciliabule.

Affinités impénétrables entre les adeptes de la sorcellerie.

L'étrange lasigoâve se terre dans une caverne.

Le coq du voisin, touché mortellement aux salières, s'agite, le corps saccagé de saccades et de convulsions électriques.

Les voraces se disputent et s'arrachent avec fièvre les dépouilles des vaincus. La gamelle de la marchande de fritures a chaviré. Les sorciers sortent de leur repaire. Clodonis reçoit une raclée de bâton ; aucune larme ne jaillit de ses yeux vitreux de mort vivant. Sultana étouffe de colère et de chagrin. Effervescence et tempête dans l'arène de Bois-Neuf. Philogène voudrait parler. Mais, réflexe de peur, un filet de crachat, infiltré dans sa trachée, l'empêche d'articuler. À l'ombre des crimes emmaillotés de silence, la goinfrerie de l'ignorance et de l'inconscience. Sur un sol glissant, le malaise sévit, poussé à son comble.

On affûte les rasoirs sur la meule / Les bêtes voraces piaffent d'impatience et d'appétit. Des grincements de crécelle nous réveillent au milieu de la nuit. Le maïs n'a pas encore bourgeonné ; il n'y a point de ripaille.

Que de patience pour prospecter les entrailles de la fourmi ! / Que de persévérance jusqu'à ce que l'enfant parvienne à ramper ! / Et de courage pour supporter les coups de pince de la faim !

Nous traînons la patte / Quelle dégaine clownesque ! / Une plaie envenimée nous empêche de marcher / La gangrène nous menace.

Du souffle pour planer au-dessus de la pyramide mastodontale de misères, de chiottes, de vomissures et d'obscénités. Odeur pourrie d'un charnier en pleine fermentation. Notre corps est squamé de plaques blanchâtres qui nous démangent.

Un ivrogne aliéné et déchu délire ; autour de sa tête embrumée, un effilochage de paroles tissées de fumée. Météores et feux d'artifice. Nous regardons. Nous observons sans dire un mot la catastrophe déchéance.

Notre mémoire s'étale infinitive, et s'effrite. Pour aviver nos souvenirs, nous cordelons notre mouchoir de trois nœuds de repère. Discussions et bagarre aux environs de l'arène. Ils nous jettent à la face des propos de malheur. Ils nous crachent des vœux d'échec. Quelle abomination ! Cette femme, dans sa démarche, exhibe une élégance cocasse ; elle évolue dans les hautes sphères ; son cerf-volant a pris de l'altitude. Échange de propos orduriers dans l'arène.

Zofer s'est réveillé d'humeur maussade ; il a roué Clodonis de coups de fouet. Massage des épaules et du dos à l'aide d'une boule gommeuse. Philogène s'adresse sans ambages à Carmeleau. Attisons le feu pour qu'il ne s'éteigne. Aveugles et sourds, ils voudraient compter les œufs qui palpitent et roulent dans le sein de la poule. Ô chimères nourries de chiffres fous et de temps creux !

Nous avons égaré la clef de la maison. Assis dans un nid de fourmis piqueuses, nous nous remuons sans cesse. Lapsus échappé de nos lèvres. Nous permutons l'envers et l'endroit, l'amour et la mort. Inexorable écrou de serrage. Broyage des os. Terreur aveugle. La fourmilière s'agite en une myriade d'antennes pourvoyeuses de picotements et de piqûres. Une multitude de baigneurs se précipite dans les eaux du fleuve. Armés d'une quenouille de maïs, nous nous frottons fougueusement le dos pour enlever des plaques lépreuses.

Vives altercations au troisième combat. Un amateur trapu voudrait se battre. Saintil a filangué le corps des zombis d'une dégelée de houssine. Les joues légèrement pincées de jolies fossettes, Sultana, belle et rebelle, baigne dans une aura de rêve et d'envoûtement. Nous marchons sur un sol mouvant. Dislocation de la cheville de Clodonis.

Nous ramassons de la fressure en farfouillant dans les immondices. Porcherie bruyante de grognements. Chair labourée / sevrée de lumière. Nous traversons une terre d'hostilité insurpassable dans la mouvance séditieuse des vagues de malheurs, un espace où les paradoxes du vent accroissent nos tourments. Nous croupissons dans l'indigence. Nous bouffons de la poussière et avalons des brassées d'air. Notre gorge se dessèche. Pourtant, nous tenons le coup. Éclaboussures, égratignures et blessures mortelles dans la chute échevelée des corps en panique.

Pressentiment de pluie / Épidémie de fièvre / Agressivité du mal. Les loups-garous, en colonnes serrées, volent à basse altitude. Nous tremblons de peur pour nos enfants. Les faibles ne devraient pas s'engager, ni les âmes trop sensibles se risquer. La terrible lasigoâve raffole de la chair tendre de nos enfants. Chute vertigineuse de la double étoile des gémeaux. Les loas sauvages réagissent cruellement. Cataracte de soleil et trappe de sang. L'extrême boulonnage. Feu de joie aux portails de la ville, dans l'insouciance du danger. Ils poursuivent sans merci le cheval fûté.

Surexcitation dans l'arène. Attisement des passions, provocation et bagarre. Les relents de chair blessée attirent les malfinis.

Portes et fenêtres closes en plein jour. Éclosion de bêtes nuisibles dans l'obscurité. Les paysans de Bois-Neuf s'esquintent à cultiver des terres arides. Pauvrement vêtus de pantalons limés aux genoux et de chemises usées aux aisselles, ils végètent sur un sol improductif. Clodonis a le corps tailladé sous une décoction de coups de fouet. Blessés grièvement, nous léchons nos plaies sanglantes, sans éprouver de nausée. Et, nous redoublons de vaillance.

Amertumée de bleu, une lune aux paupières closes passe sans bruit, avant de s'éteindre à l'horizon. À force de délirer en plein sommeil, nous avons altéré nos rêves. Irrités contre nous-mêmes, nous nous mortifions, l'âme corrodée par le chagrin, dévorée de regret. Hideur du masque de l'abjection. Ils nous ont tordu les mains. Pour ne point hurler sous la charge écrasante de nos douleurs, nous nous empressons de nous retirer, cédant la place à notre double dans la nuit prédatrice. Épreuve d'anéantissement. Silence des bouches cousues. Nous avons appris le mutisme, tout en cherchant sur quel pied entrer dans la ronde vertigineuse des danseurs funambules, tandis que s'agite notre cœur sous le règne provisoire de la mémoire.

Chambardement. Univers de chamboulement, de bouffaille et de sexes pourris. Ils ont maniboulé des bacchanales et des ripailles auxquelles nous n'avons point participé. Les mâchoires crispées, nous avons résisté aux pulsions aliénantes de l'envie. Ivresse et fermentation de l'amour emmuré de silence, en même temps qu'exaspération de la chair enfiévrée de musc. Nous n'avons guère élevé nos voix. Nous n'avons rien dit, de peur qu'ils n'extrapolent à partir de nos paroles et qu'ils ne déforment nos pensées. Nous nous sommes exercés à vivre à l'intérieur de nous-mêmes. En revanche de temps en temps nous ouvrons les yeux pour observer le déroulement des paysages extérieurs. Et la lumière nous traverse de part en part.

Quel serait le surnom du sorcier métamorphosé la nuit en cheval de course à mille pattes ? Nos ennemis nous accablent d'injures ; ils nous lancent des flots de paroles outrageantes. Nous leur répondons par des rêves moulés sous les doigts veloutés du silence préludant au délire des fleuves abolis.

Les vlingbinding envahissent les rues. Au carrefour des règlements de comptes, un attroupement de zobop. Puissance nocturne de dévoration et d'engloutissement provoquant l'épouvante. Terrifiés, nos enfants se précipitent sous les draps. Les téméraires affrontent la voracité monstrueuse de l'hydre dévastatrice. Il se pourrait que nous perdions plusieurs paris. Mais, nous continuerons longtemps encore à jauger nos coqs de combat dans la gallière. Chevaux de choc. Meurtre rituel. Paroles obliques. Des milliers de bouches et d'yeux à l'intérieur d'un corps plein de gouffres. Les bâtisses ancrées dans le roc ne s'effondrent pas facilement.

Au cours de ses flâneries, la marchande de fritures a égaré sa sacoche. Violence. Rafale de coups, dès les premiers affrontements. Par quels détours et quels méandres ténébreux s'encouleuvre le chemin du mal? L'envers du ciel décrypté dans la dormance des flaques. Nous évitons les tentations du malheur. Les provocateurs ont semé du poivre dans l'arène pour exacerber les passions; ils sont venus nous persécuter. Sans désemparer, Carmeleau et Philogène guettent les mauvais coups des ennemis. Au seuil du combat, le coq peureux a pris la fuite. Indiscutablement, il a perdu. De toute façon, il aurait été balayé d'un coup d'aile.

La majeure partie des zombis nasillent.

Éclatement et propagation d'un incendie qui a consumé nos maisons et anéanti notre bétail. Le pasteur Pinechrist, surpris en flagrant délit de fornication, a perdu les pédales.

Gaston s'est rendu à La Gonâve à la recherche de jarres remplies de pièces d'or. Nous sursautons d'émotion, quand on frappe à nos portes la nuit. Les termites commencent à ronger les barreaux de l'échelle accrochée à l'entrée du grenier, dans la vieille demeure d'Alibé. Là-haut, dans le sombre galetas, les nerfs de Jérôme sont mis à rude épreuve. Souvenirs recyclés dans la profondeur ouatée des nuits. À force de patience, nous sommes en passe de devenir très habiles dans le jeu variable des vents hachurés d'éclairs.

Nous voyageons par des chemins rocailleux. La nuit boit nos rêves bleutés de lune. Judicieuse mise en garde contre ceux-là qui voudraient nous intimider. En un clin d'œil, des cohortes hostiles sont lâchées à nos trousses. Nous restons de pied ferme et gardons notre calme. Voyage à travers les escaliers branlants des viscères pourris.

Les zombis s'échinent dans les marécages sous le poids d'un labeur écrasant. Des cadavres s'amoncellent au fond de la cour de Saintil. Une escadrille de bigailles empêche Jérôme de dormir dans le grenier. Parole rejetée dans une aire de solitude où coule une eau veuve de sa source. La calvitie du silence se dissout dans les buvards de sable. Douleur dévoreuse d'illusions. Nos enfants ont rompu avec la chiennerie ; ils ont cessé de fureter en parasites chez les voisins.

Nous avons acquis une riche expérience en fréquentant les arènes. Ils ont bloqué les portes de nos maisons à l'aide de madriers / Nous avons ouvert pour laisser entrer le soleil.

Ils voudraient s'enfuir avec nos têtes dissimulées sous un prélart pour que nous ne puissions rien voir. Absolument rien voir. Zofer joue du fouet sous les roues affolées du vent.

Parole gelée, rendue à sa matrice de pierre. Brûlure du silence. Dans la fureur des faux jours, le mal des zombis couve sous la rumeur des fleuves intérieurs. Comment faire sauter les verrous de la nuit, si les zombis n'ont jamais manifesté de tendance à la rébellion ? L'arène est surchauffée. Des amateurs fanatiques, aveuglés par leurs passions et leur inexpérience, gesticulent pendant que se déroulent les combats. Saisis à la gorge, ils sont sauvagement bousculés. Clodonis flotte dans une chabraque chiffonnée ombrée de taches noirâtres. Ah ! Prenons garde que le mal des zombis n'imprègne notre vie.

Nous nous abritons de la pluie. Nous nous protégeons des coups traîtres, en démasquant nos ennemis et en déjouant les pièges tendus sur nos routes. Nous avons appris à esquiver dans l'obscurité les attaques imprévues et à détourner les embuscades. Que nous importe le bruit des rats ? Nous recherchons, dans l'eau de la dérive et la décantation du temps, les moindres possibilités de dépassement, hors des horizons barrés.

Claustré dans sa vieille maison, le corps délabré, sujet à de fréquentes indispositions, Gédéon décline physiquement de jour en jour. En proie à des douleurs lombaires atroces, il souffre jusque dans ses os. Ses articulations sont quasi bloquées par les rouilles sclérosantes de l'arthrite. La bouche amère, il ne mange presque pas. L'anémie, les crises cardiaques répétées, l'éthylisme et les quotidiennes explosions de colère injustifiées contribuent davantage encore à épuiser les maigres ressources d'un corps déjà ravagé par la maladie. Pourtant, malgré la gravité de son état de santé, Gédéon n'a jamais interrompu ses charognades verbales dans le quartier. Exclamations grossières. Imprécations. Vociférations ordurières. Il épluche, assaisonne, brasse et débite interminablement des salades d'invectives. Entre-temps, escaladant et dégringolant sans répit l'escalier branlant pour servir des médicaments au vieillard malade et grincheux, la petite domestique Rita rappelle étrangement une poupée mécanique, une marionnette de théâtre.

Profusion d'eau dans la cour de Saintil. Dans son habitation pullule tout un peuple de zombis. Les paysans de Bois-Neuf avalent de la poussière et du vent.

Sultana verse des larmes de sang aux pieds de Clodonis qui ne comprend rien. De ses doigts tremblants, elle sonde les secrets retranchements de l'amour muet. Sous le moindre prétexte, Zofer soumet les zombis à la torture.

Ils nous persécutent / Ils nous tendent des pièges.

À la montée flamboyante des milices de l'aube sur les sables de l'été, nous esquivons les lassos et les filets dans le tourbillon des manèges. Un coq, assailli de coups d'ergots, s'écroule, les pattes secouées de convulsions épileptiques. Un émissaire, provocateur de malheurs, s'est introduit dans l'arène ; il accorde son tambour au diapason des vents en vogue. Nous ne danserons plus cette musique envoûtante, rythmée dans le brouillard des illusions.

Notre corps porte les stigmates de la misère. Nos rêves s'étoilent de fleurs semées entre les dents de la nuit. La douleur essaime sur les blessures de la chair. De l'autre côté de l'arène, il se déclenche un épouvantable combat à la machette.

L'attitude déloyale de certains amateurs nous révolte. Ne nous laissons pas emberlificoter par les séducteurs matois. Zofer applique un violent coup de trique à la poitrine de Clodonis. Faux pas. Foulure. Le sommeil des zombis débouche sur la mort.

Des amateurs inexpérimentés, gesticulant outre mesure à l'intérieur de la gallière, se dévissent la colonne vertébrale, la hanche et le coccyx. / Le jeu aux dés s'anime sous un baya-honde. / Marche aveugle du hasard. / Le coinçage et l'impasse. / La clé du temps a été égarée quelque part. / Ils font semblant de donner, alors qu'en réalité ils s'accrochent à leurs fausses richesses. Il est important pour nous de les démasquer en plein jour. / La fête bouillonne. / Ils provoquent du tapage. / Coups de fouet sur l'échine des zombis aux pieds pourris. / Saintil sème la terreur dans le bourg ; il menace la vie de nos enfants. / Pleins d'inquiétude, ruminant un silence coupable, nous flairons, dans la subversion de l'aube, les premiers rugissements du soleil.

Notre cheval boitille, les sabots endoloris par des incrustations de cailloux. / Nous avons les mains paralysées, les bras engourdis sous le poids d'un fardeau constitué par un assemblage de déchets. / À l'abri de l'incendie, des spectateurs en mal d'orgasme attisent le feu pour un ouragan de flammes aux bannières barbaresques. / Les paupières engivrées de sommeil, les zombis aux pieds encavernés de chiques tâtonnent, trébuchent dans la boue des marécages, et piétinent la couleuvre endormie. / Pour nous empêcher de parler, ils projettent de nous injecter un poison qui aurait pour effet de nous engourdir la langue.

Sultana se débat en vain, l'âme enchevêtrée dans les inextricables tourments de l'amour. Gymnastique sauvage et coup de foudre porteur de forces inconnues. Nos ennemis se sont jetés sur nous avec rage ; ils nous ont blessés aux pieds. À nos cuisses ouvertes, écrabouillées, un dégoulinement de puanteurs saumâtres. Prenons garde que la plaie ne s'envenime. Piqûres aux fesses. Ventouses au ventre. La bastonnade et la prison. Empêtrés, réduits à l'inertie, nous frissonnons de fièvre. Après avoir essayé tous les masques sur leur visage hideux, ils se sont embusqués dans les halliers. Nous saurons nous débrouiller pour échapper aux torsions strangulatrices de la bête issue des entrailles de la nuit. Serpent à queue lyrique qui nous suce le sang. Malaise. Hurlement. Charivari. Et coups de battoir dans le fleuve. D'un bond, Sultana saisit Clodonis au collet ; elle le secoue, le bouscule, le gifle et lui mord les lèvres.

— Clodonis ! Réveille-toi un peu. Pourquoi n'essaies-tu pas de rompre les nœuds qui enserrent ta conscience ? Clodonis ! Réponds-moi. Il semble que tu ne comprendras jamais rien des ravages de l'amour, ni des orages intérieurs qui grondent surtout la nuit. Pourquoi ne veux-tu rien tenter ? Réponds-moi !

— Oui ouan ! Oui ouan ! Oui ouan !

À notre gorge, un fer brûlant. Et, du fond de nos poitrines, jaillissent des cris perçants. Toutes les nuits, du crépuscule à l'aurore, nous ressentons les dents et les javelots de la douleur. Une pelote de serpents assoiffés force les portes du désir. Soudain, la violence femelle aiguise les sels de la nuit. Et l'agaman change aussitôt de couleur. / Rumeur non pour les oreilles, mais pour les yeux. / Spasmes de la lumière. Entrevision dans la succession des corps fugaces. / Des assassins de grand chemin voudraient nous égorger. / Les dernières branches de la lampe chavirent à l'aube, sur un fond de feuilles vertes et de plumes animées, dans le cinéma muet né de la dissolution des strates noires du sommeil. / Quelques amateurs éhontés ont eu l'audace de revenir dans le gallodrome avec des coqs dégonflés. / Ils ont dévalisé la marchande de fritures et ne nous ont laissé que des miettes. / Débauche de tafia. Zofer, en état d'ivresse, renifle bruyamment, en se grattant le pubis et en fourrageant dans les touffes de poils par l'entrebâillement de sa braguette. / Saintil a tranché la langue d'un zombi rebelle. / Des paquets d'os enveloppés dans des vêtements usés. / Regard méfiant. / Un jour, un jeune zombi manifesta l'intention de s'évader de l'enfer des marécages ; Zofer lui scia les deux jambes à l'aide d'une égoïne rouillée. / Les dernières fleurs du soleil s'éteignent sur la mer. Les premières ombres de la nuit s'allongent sur le sable des plages. Et le sang se coagule sur les galets, dans le chuintement indifférent des vagues et la sourde effervescence des écumes.

Entrelacement sous le mapou. Dézippage de rêves audacieux. Nous ruons en plein sommeil. Par la fenêtre entrebâillée arrivent les bruits de la nuit emplie de crissements d'ailes et de stridences d'insectes infatigables. Nous percevons une voix de femme venue de très loin. À notre approche, elle se tait et s'enfuit au fond des bois. Nous nous réveillons, écrasés de solitude. Au-dehors, nous regardons des filles presque nues battre leur linge dans la rivière. Un enfant joue sur la berge dans l'herbe folle du talus. Des colonnes de nuages se déploient à l'horizon. Couvaison d'orage. À peine avons-nous appris à aimer que notre cœur s'attriste à en mourir. Ah ! Pourquoi l'amour flaire-t-il toujours la mort ?

En présence de Saintil, un zombi osa parler ; Zofer lui arracha toutes les dents une à une. / Le coq du voisin participe au cinquième combat ; il a reçu trois coups inattendus. / Un zombi, langue pendante, lèvres flasques, boite dans la boue des marécages ; atteint de scrofule, il marche le cou de travers. / La chimie des ténèbres s'active ; ils voudraient nous détruire avant que ne revienne la lumière. / De gros vers rapaces ont envahi nos champs. / Chiures de mouches voraces. / Membranes malaxeuses se contractant, se relâchant. / Étendues couvertes de décombres. Accumulations d'ordures. Vol d'oiseaux criards. Incessant tournoiement de charognards. / Femmes effarouchées aux fesses nerveuses. Femmes aux yeux humides. Femmes à la fois belles et tristes, avec des larmes qui tremblotent sur des branches de cils. / La nuit s'épaissit. / Quels forcenés, aveugles du cœur et de l'esprit, auraient l'intention de circonscrire l'espoir ? Mais, les ramures de l'espoir bourgeonnent de partout sous les moindres gouttelettes de lumière. Au dézafi du soleil, nous ouvrirons largement nos portes pour dissiper les dernières brumes de nos cauchemars.

Enfermé toute la journée dans le sombre grenier, Jérôme attend avec impatience, les nerfs limés à vif. Le soir, quand Alibé revient des champs, il incline l'échelle vers la trappe pour que Jérôme puisse descendre du galetas.

— Alibé, mon frère, je m'épuise dans cet enfer. L'échelle est un calvaire où faiblissent mes jambes dans le zigzag des barreaux. Ma vie, un cercueil-madouleur. Guignonné jusqu'aux os, je n'en sortirai pas. J'ai l'impression que je finirai par crever dans cette étuve, sans avoir la chance de respirer l'air du dehors.

— Du courage ! Ami-camarade ! Tiens bon ! Tu n'aurais aucune raison de lâcher prise. Dans la mystérieuse aventure des métamorphoses, le profane n'a jamais su flairer le millionième de seconde où la chenille se transforme en papillon. Certes, nous vivons un temps innommable. Mais, pense que les batteries de l'orage peuvent décharger la foudre sur Ravine-Sèche, à n'importe quel moment. À l'heure la plus inattendue. Même en plein midi. Penses-y, mon ami-camarade. Et puis, tiens bon !

Un coq s'agite en chantant dans la gallière ; un autre se tord, en proie aux convulsions de la mort ; un amateur rapace réclame le corps du vaincu. Incessant bourgeonnement de la vie. / Après avoir foulonné les meilleurs plats et vidé la cambuse, ils nous ont laissé une bouillie visqueuse et salâtre. Barbotage de nourritures bâclées par une cuisson hâtive. Nous ne goberons pas cette horrible lavasse qu'ils s'apprêtent à nous servir dans le noir. / Troc de dupe. Ils voudraient que nous échangions notre vache contre leur rat. / Une escapade a failli nous coûter la vie. / Zofer bat sauvagement les zombis à l'aide d'une corde imbibée de vinaigre. / Jet de mitraille. / Un mélange de pus et de sang coule de la plaie qui écume sous le vitriol. / Comment sortir du pétrin ? / On a émondé le manguier. / Le mapou s'effeuille dans la ronde solitaire du vent. / De nombreuses taches blanchâtres déparent le visage de Sultana. / Nous nous sommes exercés à avaler des bouillies fumantes en entamant les rebords de l'assiette. D'habitude, nous évitons de toucher aux parties intérieures des plats fumants, pour ne pas nous brûler la langue. / Clodonis est toujours vêtu de la même chabraque. / Des éclats de rire interminables s'élèvent dans les profondeurs ténébreuses peuplées de frémissements, gonflées de hurlements d'animaux.

Imprécations jaillies de la bouche d'un vieillard impotent. / Ciel balafré de déchirures pourpres. / Nous retenons notre souffle en traversant le pont fragile du silence. / Le combat recommence. Sous la violence des coups de pattes, les coqs tombent et rebondissent dans l'air. / Comment redresser la chaise brisée dans la mouvance du sable ? Le cyclone a décalotté le faîtage de nos maisons ; les coiffes de chaume ont été violemment arrachées. / Flambage. / Au bout du voyage, repartir en sens inverse à travers un enchevêtrement de couteaux et de jambes ouvertes. / Tous les zombis filent doux dans les rizières marécageuses. / Naufrage de la lune blessée à l'horizon marin. / Un fou inoffensif joue au colin-maillard avec son ombre, les deux bras tendus, la tête lourde de vertige ; il s'écroule la face contre terre. / Odeur de sang dans l'arène. Philogène s'enfonce à corps perdu dans le dézafi, emporté par la fièvre des combats de coqs et l'enjeu des paris. / À nos entrailles, les morsures de la faim. / Qui a prétendu avoir de très puissantes épaules jusqu'à pouvoir porter tout seul les fardeaux les plus pesants ? / Qui assumera la responsabilité du viol de la comète ? / Qui aurait dévoré les petits du tigre au cours de la nuit ? / Les orgues de l'orage ont changé de registre. / Silence du perroquet à la langue coupée.

Nous avons consenti des sacrifices, accepté tout un lot de souffrances. Pourtant, il y a un affreux malentendu ; et les amis de jadis sont devenus nos ennemis. Nos rêves se sont repliés plusieurs fois, tous pleins d'aspérités et embroussaillés d'hallucinations. Nous devrions nous pincer les uns les autres pour ne pas être emportés par le sommeil de la mort. Fouillons les tripes des fourmis ; palpons le nombril des étoiles ; tapons rythmiquement du pied sur le sol pour retrouver le secret des cadences harmonieuses.

Les zombis commencent à travailler très tôt dans les rizières marécageuses. Un matin, à l'aube, Marco, un jeune zombi, commit l'imprudence de s'approcher de la clôture de l'habitation. Il fut aussitôt assailli de coups de fouet. Zofer l'empoigna au collet, le bouscula, le brutalisa en lui découpant la chair en lanières. Dans la soirée, en présence de Saintil et de Sultana, et devant l'assemblée amorphe des zombis, Zofer affila un poignard. Après avoir déshabillé complètement le pauvre innocent, il fit brûler la chabraque au pied du poteau-mitan, et en remit les cendres à Saintil. Puis, il châtra sauvagement le condamné. Le poignard, couvert de rouille et imparfaitement aiguisé, rendit l'opération horrible et douloureuse. Marco poussa des cris épouvantables : oui ouan ! oui ouan ! oui ouan ! À moi ! À cause de ce dernier mot, Zofer lui arracha la langue. Baignant dans une mare de sang, se tordant de douleur, Marco reprit ses sens à travers un jaillissement fulgurant de conscience. Il regarda Saintil et les zombis. Il les observa d'un regard profond, avec le désir de parler. Quand il ouvrit la bouche, une voix étouffée, enchevêtrée, inarticulée sortit de sa gorge ensanglantée. Saintil, le visage boursouflé de rage, fit craquer le pouce de sa main droite. À ce signal Zofer enfonça le poignard à la tempe de Marco.

Les coups de pioche répétés déracinent à la longue les troncs d'arbres. Vif écorchement jusqu'à ce que mort s'ensuive. Zoom sur un grouillement d'araignées au fond du crâne. La pensée éclaire les chemins sinueux de l'action. Nous marchons à travers les broussailles. Notre mort est une éventualité de tous les instants ; et notre corps pourrira dans la terre. Mais, une idée, nourrie de sève sur les branches multiples de la parole, nouée de chair et de sang, ne saurait s'éparpiller sur les ailes du vent, ni se dissoudre dans l'acide des ténèbres. Au contraire, palpitante de vie, elle répand partout des étincelles, franchit les obstacles, enjambe l'eau, le feu et les hautes murailles d'ombres.

Les yeux fermés, nous rêvons. Les yeux ouverts, nous rêvons. Nous partons ainsi à la recherche d'un nid de secrets. / La faveur du public penche vers le coq du voisin. / Plumes arrachées par de terribles attaques. Yeux crevés par de puissants coups d'ergots. / Nous avons misé sur le coq à rayures rouges. / Nous offrons trop d'avantages dans les paris que nous engageons.

Après nous avoir toisés, ils nous ont tourné le dos. Ils ne sauraient suivre le même chemin que nous. / Cette voix de femme qui nous arrive de loin, cache-t-elle un piège ou nous transmettrait-elle l'écho mourant des battements d'ailes de l'espoir ? / Nous avons déverrouillé les portes de nos maisons. Il fait noir au-dehors, noir au dedans. Absolument noir. Le malheur champignonne la nuit. / Une cohorte de rapaces nocturnes dévaste nos champs, pendant que des maraudeurs rusés emportent les fruits de nos récoltes sans éveiller de soupçon. / Jet de mitraille et d'acide, la bave du prophète brûle. La terre barbarise; la mer écume; le sable grille. Langue de rasoir et paroles tranchantes, marinées au poison, puis lâchées dans le vent pour le dévoilement et la trahison des chants de guerre.

Des amateurs puissants introduisent des pintadines dans le gallodrome. Zofer a placé au seuil du hounfor un fétiche qui aurait la vertu d'un véritable barrage mystique. Nous sommes invulnérables aux maléfices; les houangas de nos ennemis ne sauraient nous atteindre. Il n'est pas recommandé que nous sortions au-dehors. Nous ne nous laisserons plus prendre au pinga-serein.

Ivre mort, Gédéon ne dessoûlera pas de sitôt. Allongé dans la position du sommeil, il regarde le soleil disparaître derrière le mapou. / Chaleur. Accablement. La rue est encombrée par une montagne d'immondices. / Gémissements et chuchotements derrière un mur ombré de saletés. / Dans le crépuscule sanglant, un défilé de têtes burlesques. Paysage mélancolique à odeur cadavérique et à exhalaison de sperme. / Longue est la nuit. Pesante coulée d'ombres sur nos paupières. Il nous faudra d'autres yeux dans cet espace goudronneux. / Zofer conduit une kyrielle de zombis pellagreux dans les rizières marécageuses. / Les coqs peureux ont capitulé à l'ouverture des combats. / Zofer a zigouillé un zombi réfractaire. / Une épaisse couche de cire nous bouche les yeux. / Vertige et nausée. / Nous mastiquons, mais nous n'avalons pas. / Tapage infernal dans le giron de la marchande de fritures. / Les chouquets de la rosée distribuent des coups de bâton à tort et à travers. Panique. Têtes cassées. Poignets désarticulés.

Bousculades. Bourrades. Chavirement dans la foule. / Nuisance. / Désapprendre le rire. / Nous avons lâché nos rêves dans le sillage phosphorescent de la comète enneigée de poussières d'étoiles. / Pâleur de Sultana. / Gédéon accable Rita de réprimandes et d'injures. / Saintil a déparié deux zombis qui manifestaient de l'insoumission dans la même cellule. / Arrachement de dents. / Les combats de coqs font rage dans la gallière, malgré le temps bruineux. L'atmosphère de l'arène est de plus en plus électrisée. / Chaises démantibulées. Épaules déboîtées. Chevaux lancés à vive allure dans la savane. / Les chaussures de Gédéon déboulent l'escalier de la vieille maison. / Sommeil agité par des rêves hérissés de surdents. Une chabraque décolorée, abîmée, chiffonnée enveloppe le corps des zombis au visage hideux. Lèvres flasques. Gencives édentées. / Armé d'un bâton, Zofer frappe les zombis en pleine nuit. Le sang gicle de la tête de Clodonis. Sultana, la mine ulcérée, se précipite à l'intérieur du hounfor. Zofer commence à s'en méfier. / Le temps ne s'est pas encore éclairci. / Nous défournons de mauvais rêves. / Saintil ignore les manœuvres nocturnes de Sultana. / Là-haut, dans le grenier, la tête de Jérôme fourmille d'idées et de projets subversifs. / Fantômes muselés, nasillant au-dessous du silence, les zombis ont le visage défiguré, des yeux vitreux, des paupières en accent circonflexe, un nez en apostrophe, des oreilles envirgulées, des lèvres entre guillemets. Zofer leur interdit de parler même pendant leur sommeil. / Les coqs ont chanté plusieurs fois dans le gallodrome. / Déferlement de mots. Débroussaillement de la parole.

La lune décline à l'horizon. / Nous n'avons pas renié nos paroles. / Choc et éclatement de silex. Germination de feux en plein jour. / Le vent gifle les arbres, emporte les toits de chaume. / Nous nous aiguillonnons contre l'inertie. / Notre maïs sèche au soleil ; nous y veillons. / Nous sarclons l'ivraie ;

nous traçons des chemins vicinaux. / Entre l'abîme et les escarpements de la lumière, nous inventons des mots vifs dans la forge de la douleur. Et nous parvenons à nous tirer d'embarras.

Déclenchement des combats. Turgescence des crêtes de coqs. / La marchande de fritures a toisé Carmeleau entre deux haies d'arbres chandeliers. / Une voix grinçante nous a réveillés en pleine nuit. / Eau conductrice. / Vent paladin. / Ventre noué. / Un coq peureux a fui hors de l'arène. / Une poule caquette dans les bois. / Ils violent les femmes qui s'aventurent dans les bastringues. / Autour des couteaux maculés de sang vif s'enchevêtrent les dialectes de la nuit. Le poignard et la chair brillent du même éclat.

Le voyage regorge d'écueils. Nos paupières s'enténèbrent de croûtes épaisses. Notre langue s'empêtre de bave et de mastic. Nous clopinons dans les chemins obscurs. Butant contre des souches, glissant sur les arêtes des pierres, nous nous blessons et nous saignons sans arrêt. Nous nous écorchons en rasant les murs, restituant à la pierre le sang du silence. Dans la boue, nous tombons de tout notre long. Refusant l'inertie, nous nous relevons clopin-clopant. Foin des capitulards dont les paroles de désespoir n'attirent même pas la limaille des ombres dans la solitude aigre sèche ! À travers un espace empoussiéré de doute, nous poursuivons le voyage sur des ailes d'oiseaux à odeur de volcan.

Veines noueuses et frisson de chair. L'entrecroisement pour le meilleur et pour le pire. Aux abords du marché de la Croix-des-Bossales, Gaston s'entretient avec un paysan de Bois-Neuf. Visage en dessous. Timidité et tremblotement de la bête acculée au fond de nous. Vagues de mauvaises nouvelles. Brassage des tripes. Saccades et arrachement du cœur. Tante Louisina est morte, emportée par la fièvre paludéenne. Antonin s'est pendu à un arbre, une semaine après le départ de Gaston. Saintil étend son pouvoir et sa domination sur toute la région de Bois-Neuf. Zofer écrase à sa guise les zombis de Ravine-Sèche. Faby a émigré vers Nassau. Dans le bourg désolé n'errent que des ombres et des fantômes. La mer s'aplatit telle une masse de métal en fusion. Le soleil martèle un amas de nuages sur l'enclume des eaux pétrifiées ; à l'horizon crépusculaire jaillissent des étincelles de rêves. Accablé, Gaston pleure comme un enfant, la tête entre les genoux.

Nous préparons nos lits bien avant que les ailes veloutées du sommeil ne frôlent nos paupières. Nous avons l'habitude de nous étendre dans des lits parsemés de clous. / Belle dérive que l'étalon a sailli la jument. Nous arrivons toujours trop tard après le viol. / Poignard rouillé farfouillant dans la plaie vive. / Filature renarde où un dangereux courant nous emporte. / Le dézafi s'anime de l'autre côté de la voie ferrée. / Rêves à la dérive. / Paroles semées dans le vent du hasard. / Voisinage étourdissant de l'amour et de la mort. / Nous avons dû resserrer les mailles de notre cœur contre les infiltrations excessives de la douleur. Ingénieux truquage pour soulager nos poitrines et nos entrailles des tranchées de la faim.

Un violent coup de pattes. / Nous cherchons des raccourcis. / Les coqs de race ne battent pas en retraite dans le feu des combats. / Dès l'aube, Gaston commence à errer à travers les rues de la ville. / Ils nous ont gorgés d'outrages ; nous avons simulé l'indifférence et l'oubli. Avec de l'endurance et de la patience, nous réglerons les questions clés même à la dernière minute. / D'un coup de hache, Zofer a tranché le doigt d'un zombi. / Cette fois, nous avons pu suivre les traces de la couleuvre chasseresse. / Triste temps aux couleurs sombres. Temps de menaces et de massacres où les oiseaux battent des ailes effrayées.

Gédéon bougonne. Rita n'a pas encore préparé le café du matin. / Les gosses de Ravine-Sèche ont le flanc creusé par la maigreur. / Toute l'angoisse de la chair autour de la lampe éteinte. / Les paysans de Bois-Neuf ont fait la quête, de chaumière en chaumière, en vue des funérailles d'Antonin. / Les yeux effarouchés, nous appréhendons les angles vifs du labyrinthe. / Les navires côtiers échouent sur des récifs. / Notre amour vient tout juste de naître ; or voilà que la pluie nous déçoit ; toutes les fleurs se meurent. / Conflits et disputes. Agitations et chocs. Nous jetons les vieilleries et tout le bataclan dans les rues, par nos portes et nos fenêtres ouvertes. / Nous avons misé sur un coq dont la tactique consiste à tourbillonner jusqu'à soûler l'adversaire. Méfions-nous des coqs qui traînent d'une patte ; rusés, dangereux, ils gardent souvent en réserve un coup mortel.

La terre a été profondément remuée, labourée par une horde de bêtes affamées. / Une meute de chiens et un troupeau de cabris ont envahi l'habitation de Saintil ; Zofer leur a indistinctement tranché la tête. / Ils ont semé dans la gallière des graines toxiques qui pourraient dénerfler nos coqs de combat. / Gédéon nage dans un océan de tafia ; il atteindra difficilement les terres fermes de la conscience. / Tout au début, dépourvus d'expérience, nous avons commis l'erreur de miser sur des coqs médiocres. Jamais plus, nous ne récidiverons.

Femmes équivoques, fleurs blessées offertes à la lune interlope. / Nos ailes s'ouvrent à contresens ; comment pourrions-nous voguer dans l'azur ? / Attisement des conflits. Plus tard, le choc en retour. / Jérôme a le visage convulsé au fond de sa cachette. / Univers d'ombres. Fadeur de la chair. Odeur de la mort. / Ils voudraient se rattraper au détriment de nos enfants. / Des tas de griefs informulés pèsent depuis longtemps sur nos poitrines oppressées. / N'était la mort de notre premier-né, nous serions aujourd'hui grands-parents. Le crime nous a troublé la conscience.

Carmeleau, fou de colère, paraît aussi furieux qu'un congre fouetteur. / Sultana chevauche des nuages débridés. / Sous un arbre desséché, un régiment de chiens maigres aboient de faim. / Querelle sous la tonnelle. Les trouble-fête ont donné le signal du jeu de massacre. / Il nous faudra payer les verres cassés, la nappe déchirée et les plats brisés. / Il nous reste encore toute une cargaison de douleurs à décharger. Nos souffrances ne font que commencer. / Nous devrions rompre avec les vieilles habitudes tissées de nonchalance et de laxisme. / Enchevêtrements affreux. / D'autres paris vont s'engager.

Là-haut, dans le ciel, deux nuages de même gabarit s'affrontent. Lequel des deux parviendra à déchiqueter l'autre ? Rivés au sol, deux chiens errants, se souvenant peut-être du temps lointain où ils étaient des archanges, observent le spectacle, les yeux tristes et nostalgiques. / Par quelle fissure introduire nos doigts pour tourner la clef des orages ? / Un voile de silence recouvre le govi. / Nous n'avons pas pu accéder à l'enceinte secrète où les zombis sont gardés en otages. / Bourgeonnement et débordement de nos douleurs. Nous traînons une indéfinissable croix enveloppée de haillons énigmatiques. / Javelots et flèches à nos trousses. Nos fesses aiguillonnées pour la précipitation. / La lune horriblement criblée de cicatrices. Stigmates de la variole et taches de rousseur comme autant de pustules et de furoncles lumineux ponctuant la lèpre amère de la nuit. / Mais, dans quel labyrinthe s'est entortillée notre mémoire ? / Nous pourrions choir de vertige aveugle, s'il advient que nous goûtions avec trop d'appétit aux fruits verts de la colère.

Le sixième combat a commencé. Comment pourrions-nous miser sur un coq qui se relâche au moindre coup de patte ? / Gaston s'en va à travers les corridors et les ruelles des quartiers populeux, le dos tourné à lui-même. / Nous grossissons chaque jour le nombre des zombis. / Acculés à l'inertie, les escargots se sont réfugiés dans leur trou. / Nous avons chu honteusement sur les fesses ; nous avons failli ainsi nous briser le coccyx. / Le combat se déroule avec férocité ; le sang des coqs coule à flots dans la gallière. / Insouciantes de l'imminence du danger, les bouches d'or éclatent de rire. / Nous partons à la recherche de la clé-mère dénouant les cris de nos gorges, sur une route entrecoupée de falaises à pic. Pieds enflés et cou tordu, nous résistons à la douleur des entorses et des écrouelles.

Souffrant de tous les maux, nous sommes réduits à avaler des remèdes de cheval, à ingurgiter des laxatifs à base de feuilles amères qui nous font vomir des serpents, des mabouyas, des crapauds et des douzaines de scorpions. Les yeux sombres noyés dans leur orbite, le visage blême, les lèvres fanées, le cou décharné, les clavicules saillantes, nous offrons le spectacle désolant d'un troupeau de malades incurables. Nous nous sommes fourvoyés dans des fioritures chorégraphiques, et nos mains se sont égarées dans la broderie fugace des gestes à vouloir jeter un pont de douceur fragile entre nos corps et la lumière, entre nos rêves nocturnes et l'aube préfiguratrice de la rage des danseurs nus.

Acculés par la faim, nous avons mis notre orgueil au rancart en sollicitant juste des miettes à la table des bouffards repus et des fêtards bienheureux. Tous, ils nous ont craché dans la main en nous accablant des pires injures. Humiliés, nous sommes sortis au milieu de la nuit ; et à travers le flou de nos larmes, nous vîmes émerger de l'ombre bleue des fleurs de feux qui ressemblaient tantôt à des bouches ouvertes, tantôt à des bras menaçants. Semences de flammes pour que la sève retrouve le chemin des racines et que le sang du soleil soit rendu à la source.

L'air anxieux, le teint livide, Sultana ne dort presque pas ; l'insomnie l'entraîne au creux des vagues de silence blanc, dans le sillage frêle d'un amour dévoré de l'intérieur par le cancer des muettes solitudes. Zofer s'interroge, intrigué par le comportement énigmatique de Sultana. Chaque nuit, il épie les moindres battements d'ailes des oiseaux fous de désir. / Un bruit de pas froissant la paille sèche, Jérôme grimpe précipitamment l'échelle accrochée à la trappe du grenier. Quel rugissant volcan dans le ventre des mangeurs de paille imbibée de gazoline et des avaleurs de flammes ! Et quelle rage dans l'explosion de leurs baisers !

La griserie et les terreurs sensuelles des fortes chaleurs de l'été envahissent les viscères. Toucher le nœud ventral et le dénouer du bout des doigts. / Les zombis des rizières marécageuses reçoivent chaque jour une infecte bouillie sans sel et sans épices. / Atroce labourage des tripes. / Fenêtre ouverte sur les chancres de la nuit. / Déclenchement d'un combat à la machette aux abords de l'arène. Fuite des faiblards aux culottes barbouillées de merde. Les brasseurs d'excréments exultent en plongeant leurs dix doigts, leurs bras et leur tête dans des tonneaux remplis de camembert pourri. Éclaboussures de cacarelle qui provoquent la débandade parmi les canards et les oies qui se débondent en répandant sur le sol des pelotes et des mèches de mayonnaise. Dislocation des jointures. Démantèlement des tonnelles. Errance des provocateurs en mal de conflit. Autour de nous, s'étend une immense mare de diarrhée dans laquelle pataugent des fesses molles à perruque, des phallus déphasés et des grappes d'hydrocèles.

Dans l'euphorie carnavalesque, nous n'avons pas su parer au délabrement des pièces de la machine dont les bruits assourdissants se mêlent aux hennissements des chevaux sellés pour la pagaille et pour la mort. Bacchanales dans une atmosphère démoniaque au point que même les assises de l'enfer en sont ébranlées. La fête se déroule dans un jardin de fleurs explosives. Entre la détonation aux multiples éclats et l'impact mortel, fleurissent les arbres provisoires du hasard. Ils n'ont pas pu nous avoir, ils s'accrochent à nous importunément, dans l'espoir de nous émouvoir. Les maraudeurs ont pris la fuite ; ils rampent à plat ventre à travers les bois, parmi les odeurs pourries des cadavres en décomposition ; ils tâtonnent dans un enchevêtrement de cuisses nues, soûlés par la senteur agressive des vulves en fermentation. Il y en a qui bondissent, sautent, courent, trottent, boitillent, se roulent par terre, se mordent, se flagellent, hurlent en vomissant de la bile et du sang ; cela n'empêche nullement les autres de continuer à humer l'odeur fondamentale des sexes farcis de fromage gras.

Baignade insolite sur la plage déserte de Bois-Neuf.

Saintil voudrait recruter de nouveaux zombis en vue d'augmenter le rendement des rizières. Philogène n'a pas mordu à l'hameçon. Fugue en plein jour.

Des voleurs astucieux rôdent autour de nos maisons. Tout rusés qu'ils sont, ils ne peuvent pas se mesurer à nous.

Glissement des heures. Fuite irrégulière des jours. Érosion de la mémoire balayée par le vent des illusions.

Nos ennemis ont tout entrepris pour nous enchaîner la conscience, usant de toutes les armes : le bâton, la carotte, le sirop de canne, la saucisse piégée, la mortadelle empoisonnée, le gratte-cul, le papier-monnaie, les pièces d'or, les drogues zombificatrices. Ils ont misé sur le pourrissement du temps.

Tapi dans un buisson, Carmeleau observe le défilé nocturne des zombis vers les marécages. Ceux-là qui vivent en marge des rizières ignorent la profondeur des eaux boueuses. Et les coqs de basse-cour n'imaginent guère le déchaînement des violences guerrières dans la gallière. Notre corps nous démange. Il faudra que nous abandonnions les lieux tapissés de moisissures pour des espaces de soleil vif. Ils nous ont acculés dans des chemins très étroits, jonchés d'épines, hérissés de souches pointues. Nous n'avons pas lâché prise. Rien ne freinera notre ardeur à prendre part au dézafi.

Nos maisons délabrées menacent de s'effondrer. Avec les premiers javelots du soleil, nous terrasserons les rapaces nocturnes. Ils voudraient nous asservir et nous châtier sans rémission ; ils nous ont mis le cou dans un tribart. En pleine escalade des mornes, nous avons faibli. Pourtant, nous n'avons pas capoté dans les fossés. Au fond de notre gorge roulent des caillots de sang. Que d'acrobaties pour éviter des chutes mortelles ! Passant outre aux réticences, nous reprenons le voyage, nous le poursuivons avec acharnement, tout en chuchotant nos paroles de peur qu'on ne piège notre voix. Étau de la nuit. Autour de nous l'opacité des brumes. Depuis des siècles, nous marchons à travers les broussailles du doute. Dans une totale incertitude. Pour un oui pour un non, les puissants arrimeurs de ténèbres déchargent sur nos épaules des fardeaux cathédrales. Étirement de la nuit. Nos rêves s'étendent hors de l'eau morte de l'oubli ; et l'espoir jaillit de la lampe nue.

La marchande de fritures, dans le tremblotement de l'air surchauffé par les suffocantes vagues de l'été, se pavane presque nue aux abords de l'arène. Carmeleau pousse un cri d'étonnement. Les vivres coûtent cher, proteste-t-il ; un de ces jours, nous mourrons tous de faim. Et notre mort, insignifiante modulation du vent, léger bruit imperceptible dans la rumeur confuse de la forêt, ne modifiera ni le décor ni la musique de fond. Comme il tient souvent des propos cinglants de vérité pour fustiger publiquement la vanité des nantis, la tyrannie des puissants et l'indifférence des jouisseurs, Carmeleau passe pour un excentrique qui aurait le cerveau effeuillé.

Sous le soleil de midi, un fou étendu à plat ventre caresse son ombre. Colportage de cancans à travers le bourg.
Les paysans de Ravine-Sèche se nourrissent de feuilles et de racines pendant la morte-saison. L'immense cour de l'habitation de Saintil est jonchée de fétiches.

Décharge de violences aux trousses des zombis. Pressurés à la dernière limite, ils sont réduits à l'état de simples marionnettes dont les sombres silhouettes tantôt s'alignent machinalement au milieu des tiges de riz, tantôt s'aplatissent dans la boue des marécages.

Tornade crépusculaire / Défloration du ciel Naufrage d'un frêle corallin dans la mer agitée de Bois-Neuf. Zofer déverse une volée de coups de bâton à tort et à travers. Les gémissements nasillards des zombis au crâne parsemé de bosselures ajoutent l'horreur et l'effroi aux fureurs de la nuit. Nous avons reçu une rafale de coups violents. Du sang vif coule de nos oreilles déchirées, de nos tympans éclatés, de nos yeux crevés.

Les pierres saignent, rayant l'impossible.

Les subterfuges des caméléons allongés sur les branches pourries des arbres morts ne sauraient nous leurrer.

Saintil a préparé un flacon de trois-dégouttes.

Gédéon s'enivre de tafia dans la vieille maison dont les portes et les fenêtres restent toujours closes. Nous savons qu'un jour nous franchirons inévitablement le seuil de l'arène. En attendant l'affrontement, nous demeurons sourds aux propos creux des vantards. Nous avons intérêt à épier les brusques changements de direction des tourbillons de poussière, avant de choisir la position stratégique où nous alignerons nos coqs de choc. Pour pouvoir mieux suivre les démarches marginales de l'adversaire, Philogène se cache derrière un bayahonde, le visage de travers. Deux éleveurs de coqs s'injurient en jacassant. Cris discordants éraillés. Attroupement circulaire. Frémissement du sable sous les pas des curieux. Un accordéon expire au loin dans la montagne. Effervescence.

Éruption de paroles. Capitulation d'un coq fainéant sous une pluie farineuse. Fade odeur de boue remuée. Bruyant envol de corneilles aux luisances moirées. Nous gardons l'œil ouvert ; mais l'action dévastatrice et souterraine des vers et des insectes dans l'entortillement des racines nous échappe. Nous peinons à rechercher la boucle où s'accrochent les deux bouts de la chaîne.

Immobiles, debout à l'embouchure du fleuve, nous observons la fougue des vagues et l'envoûtante étendue marine. Quelques nageurs imprudents, grisés d'espace et de bleu, s'aventurent vers les profondeurs océanes, toutes de puissance, de mystère et de sensualité. Prenons garde qu'ils ne nous entraînent loin de la terre ferme. Tentation de l'infini. Quel marin nous reviendra du royaume des sirènes pour nous conter de pure mémoire les récits de l'eau? Les mots d'ordre du silence glissent à la surface de la mer insatiable. Demain, peut-être, flotteront les corps des voyageurs morts. Là-bas, derrière les collines plantées de sisal, les bêtes de somme, enlisées dans les marécages, gémissent d'épuisement. Dans les rizières, des colonnes de zombis brassent la boue avec leurs pieds nus, leurs doigts et leurs dents; l'air hébété, ils mâchent la pâte coriace en murmurant sans trêve : oui ouan! oui ouan! oui ouan!

Après une période d'accalmie dans l'arène, les attaques s'intensifient. À genoux dans la poussière pour recevoir des grains de riz, quelques poignées de farine, des boîtes de conserve, des sachets de lait en poudre, des cohortes d'affamés hurlent et gesticulent en ramassant, dans une atmosphère de lutte féroce, les pièces de monnaie qui leur sont lancées sur le sol.

Alliance énigmatique entre le pasteur Pinechrist et Gaston le sous-fifre. La nuit s'épaissit dans le chavirement des lampes taries. Les chats sont avertis; les rats sont avertis. Autour de l'enjeu, la danse nocturne de deux tribus ennemies, dévorées toutes deux par la même envie et la même passion destructrice.

La faim nous a surpris en pleine détresse, labourant nos entrailles en profondeur. Cruauté solaire œillant la disharmonie des nuages. Semences d'espace criblant un pan de ciel bariolé. Un rai de lumière, et notre mémoire nous revient d'un feu plus vif.

Profusion de clairin sous les tonnelles aménagées tout autour du gallodrome. Le crâne rasé, les bras liés derrière le dos, la langue pendante, les zombis marchent dans la nuit sur des fils barbelés, au milieu d'arbres recouverts de mousses d'or, en nasillant d'interminables oui ouan ! Impuissants, apathiques, ils forment la sainte famille des mollusques.

Clef sous la porte close. Faby, le tenancier de la maison de jeu, ayant fait faillite, émigra vers Nassau.

Aux abords de la gallière s'alignent de nombreuses petites tables branlantes, recouvertes de tapis crasseux, qui attirent, pendant toute la durée du dézafi, des rondes interminables de joueurs de cartes et de dominos. Les parties de dés, enflammées et bruyantes, se tiennent un peu à l'écart, à l'ombre d'un immense bayahonde.

Depuis des semaines, il se déroule, dans l'habitation de Saintil, à l'intérieur du hounfor et sous le vaste péristyle, de longues et mystérieuses cérémonies, bouillonnantes de chants et de danses vodouesques. Le sang des animaux sacrifiés en l'honneur des loas gicle un instant sur le sol avant d'être recueilli dans divers couis. L'officiant arrache, d'un seul coup de dents, la tête d'un poulet ; puis, il la crache dans un panier à fond de feuilles vertes d'où émergent des branches de verveine odorante et des tiges d'armoise absinthe, tandis qu'il lance le corps convulsé de la bête agonisante dans une gamelle. Geste rituel exécuté invariablement par le houngan pour donner la mort sacrée à sept poulets et à trois dindons jacassant de frayeur. Ensuite, arrive le tour d'un mouton bêlant de peur, dont la gorge est tranchée par Zofer en un tournemain. Enfin, à minuit, sonne l'heure du sacrifice majeur : une vache noire, tachetée de blanc, les yeux brillants de stupeur, est conduite près du poteau-mitan où elle tombe à genoux sous la violence d'un soudain coup de poignard à la nuque, avant de s'écrouler sur le sol poussiéreux sans un beuglement.

Quelques marcheurs, infatigables, donnent le signal du départ. Lumière déchiquetée. Corps en balancier. Le duel élargit son espace entre les lèvres et le silence. En proie à un accès de fièvre nocturne, Sultana se consume dans son lit.

La graine et l'enveloppe. L'intrinsèque et l'apparent. Zofer châtie avec la dernière rigueur les moindres écarts des zombis. Sous le vieux pont rouillé, à Ravine-Sèche, des gosses faméliques barbotent dans des flaques de boue ; de temps en temps, ils avalent des gorgées d'eau noirâtre. À quelques mètres, une femme squelettique fouille dans un tas d'ordures. Colère et ulcération.

Le chœur des hounsis-kanzos entonne un chant frénétique. Battements de mains. Le sixième combat est surchauffé. Les coqs s'affrontent avec rage.

Qui ose rire, pendant que le vent nous apporte les cris fragiles des nouveau-nés que l'on égorge ? Saintil et Zofer aménagent, ajustent, nettoient, lubrifient, expérimentent le manège de la mort. Masques grimaçants et pièges foudroyants.

Au tournant de la route qui mène à la gallière, Carmeleau et Philogène s'en vont guetter des paillettes d'or dans l'hémorragie du soleil couchant ; leurs silhouettes et leurs ombres se brouillent, se dissolvent dans un épais tourbillon de poussière. Gaston et le pasteur Pinechrist s'arrangent pour cueillir, de leurs mains nouées inséparablement dans le noir, des fruits d'étoiles abolies, les fleurs avortées de la foi et les rêves amidonnés des femmes infidèles. Jérôme et Alibé se détournent lentement du versant stérile de la nuit pour suivre la mouvance des feux de balise, hors de la pesanteur des corps nappés de sommeil.

Sultana et Clodonis, portés par des vents contraires, s'accrochent aux ailes vacantes d'un moulin fou. Gédéon et Rita inscrivent tour à tour leurs gestes quotidiens dans l'accord subtil des baguettes percutantes et du tambour sonore.

Battements et résonance. Danse cocasse des zombis dans les marécages au rythme des vrombissements mélodieux des maringouins. Danse échevelée de quelques rares êtres vivants martelant le sol de leurs pieds nus pour donner le signal du réveil. Danse amplifiée de cris à tenir notre âme en éveil contre le mal contagieux des zombis. Mais sur quel pied danser vraiment ? Plusieurs fois, nous avons perdu le souffle à suivre le rythme respiratoire de nos cerfs-volants.

Vibrations de nos fibres intimes. Il est question de marcher sur la corde fragile de l'espoir, tendue par-dessus le vide.

Ils nous ont pressé les épaules et meurtri la chair, de leurs gants de fer. Pourpres brûlures où germent des souvenirs de sang dans la plaie cicatrisée sur un chemin d'ombres à présage de malheur. Les zombis bégaient oui ouan !

Deux coqs de race s'affrontent avec férocité. Un fanatique, surexcité par la rage du combat, s'éponge le visage trempé de sueur, en hoquetant des injures incompréhensibles. Frayeur muselant les bouches tâtonnant entre les trous sombres du hasard, par où nous nous sommes honteusement soumis à la loi du gouffre.

Au flanc de la montagne, persiste le braiment d'un âne.

Dents de scie léchant la blessure.

Odeur de bois coupé. La marchande de fritures a éconduit un chapardeur qui rôdait autour d'elle.

Les zombis ont le corps tailladé par les coups de fouet.

Vêtu d'une chabraque qui bâille aux aisselles, Clodonis revient fourbu des marécages, la tête badigeonnée de limon et de déjections de porc. Tournoiement de bestioles au-dessus de l'eau saumâtre. Par les ébréchures de l'âme se dilue notre légende, informe, amère et triste.

Les chouquets-de-la-rosée, pires que des épouvantails, effraient les oiseaux de l'aube. Regard vitreux de Clodonis baigné de lait de lune. Halètement de la pluie par-dessus le toit du péristyle attenant au hounfor, dans l'habitation de Saintil.

Les zombis exhalent une répugnante odeur de moisi. Feu gelé d'astre pourri et corps macabre puant la mort glaciale. Lassitude et nausée. Zofer gifle brutalement Clodonis, en présence de Sultana dont le cœur chavire et plonge dans les abysses du chagrin.

La langue s'affole en son âtre de braises. Nous délirons par des brisures de mots, jetées dans l'insignifiance des jours à des avortons de singes. Vertige des coqs soûlés de coups de pattes. Les caïmans voraces s'empiffrent de boue infecte sur les rives de l'étang de Bois-Neuf. Au loin, sur la mer, un corallin danse, glisse et se perd dans les intervagues. Énigmatique mobilité des pièges entre l'eau et la lumière.

Enfermé dans l'obscurité de sa chambre, Gédéon somnole, bercé par le bruit sourd de ses rêves de vieillard solitaire.

Nous nous sommes brûlé les yeux et la face dans une lumière venue du fond des ténèbres. Bouche bée, nous avons passé des nuits entières à compter des branches d'étoiles. N'était le vent nouveau largué à l'ancrage de nos corps appesantis, nous aurions dormi de fatigue pendant des jours et des nuits. Nous n'avons ni bu ni mangé dans cette aire empestée de douleur où nous vivons depuis longtemps, l'âme enténébrée de crainte, encroûtée de peur.

Flairant de vieilles odeurs d'abîme, nous nous accrochons aux barbelés de la mémoire. Blessures et déchirement. Pourtant, au bord des précipices et sous le voûtage des ombres, nos espoirs demeurent intacts. L'oreille attentive, nous percevons une voix de femme qui nous envoûte ; elle nous parle d'une histoire de grossesse douloureuse supportée avec amour et patience.

Encore un carrousel d'aubes criantes, et elle accouchera sur une terre accablée d'étoiles. Imaginant le surgissement de la lumière hors du col étroit de l'utérus et le jaillissement du placenta sanglant, nous tremblons, herbes folles enfiévrées de rosée.

Clodonis flotte dans une chabraque maculée de boue et de vomissures sanguinolentes. Pulpes gluantes de goyaves pourries. Exhalaisons de marécages.

De nombreux provocateurs ont envahi l'arène.

Les haines et les conflits s'attisent sur une terre maussade, ensemencée de poivre. Impossible espace aveugle de fauves tourbillonnant dans un fleuve de discorde. Incendie allumé à la torche et au sang pour une oraison jaculatoire.

Sous la brûlure avivée de braises brille l'amulette de la femme porte-chance. Éparpillement de cendre pendant que dure le voyage. Nul vent n'a pu effrayer nos chevaux attachés aux poteaux. Lugubres miaulements de chats sauvages.

Dès l'aube, les zombis commencent à travailler dans les rizières marécageuses. Eau stagnante. Touffe de joncs. Lenteur des nuages se déplaçant à basse altitude. Déhanchement lascif des tiges de riz bordant les rives de l'étang. Interminable file de zombis, qui marchent en boitant, la tête baissée, le dos tourné à la lumière. Saillies au coin des yeux. Paupières de crapaud. Bras tombant lourdement le long du corps. Relents de cimetière dans le sillage de la mort.

Les maléfices ne nous épouvantent point. Litanie de oui ouan espèce de lamento s'interrompant de temps en temps flottement de soupirs de rires éteints oui ouan hoquets la même expression de désolation oui ouan saccades et coups de fouet oui ouan lèvres écartées joues flasques oui ouan exhumation de cadavres en une longue suite de désastres oui ouan dans l'immobilité du temps le teint pisseux les pieds nus dans les sentiers boueux oui ouan frisson des herbes d'eau oui ouan voix monocorde indéfinie oui ouan oui ouan oui ouan les dernières lueurs s'éteignent les cloches se sont tues et demeure le silence.

Gaston se tourne et se retourne dans un lit branlant. Son imagination, survolant à tire-d'aile de vastes forêts sans issue, tente de tramer l'impossible. Effroyables privations.

Sultana entre furtivement dans la chambre des zombis. Par des gestes fous de ferveur, elle caresse Clodonis qui demeure insensible, inconscient et désespérément froid. Compagnonnage de l'amour et du silence. Nous avons enjambé le vêvê de la mort, avec l'espoir que les ombres se dissiperaient sur nos routes. D'une main tremblante, nous traçons une croix sur nos lèvres tuméfiées. Vœu que soit gardé le secret de nos fugues.

Ivresse sauvage de mauvais loas rompant les cordes du vertige dans le déséquilibre des sauts périlleux pour que se brisent nos reins, nos jambes et nos bras sur le sol dur. Altération de la mémoire. Nos rêves s'invertèbrent dans la viscosité des nuits empourprées de meurtre. Nos désirs d'ailes se dissolvent dans la glu bitumeuse de l'échec. Pourtant, nous avions juré de garder intacts nos désirs, nos rêves et nos espoirs. Déflagration et foudre destructrice. La misère et les tourments quotidiens dévorent nos rations de joies dans le renversement des chaudrons et la dégradation d'un faux sourire en rictus.

Les habitants de Ravine-Sèche, les innombrables paysans sans terre de Bois-Neuf se nourrissent de poussière et de vent.

Battements d'ailes d'un coq matador. Les amateurs rusés usent de tous les moyens pour introduire des pintadines dans le gallodrome. Nous risquons de perdre le pari, si nous nous laissons prendre à leur jeu de diversion. Étalage de fausses richesses, bouffées de fumée, vapeurs de tafia, embrouillamini de paroles sonores, parade de femmes pièges. Rage des combats dans l'arène, qui se poursuivent fort tard dans la nuit. Les sortilèges des étoiles filantes, encore qu'ils nous envoûtent aux heures indues, ne devraient point nous entraîner hors des pistes d'affrontement.

Mèche allumée. Ils nous importunent jusqu'à nous couper le souffle. Nous avons retrouvé nos mains dans le tissage des pluies d'été gonflées de foudre. Charge de pierres et barrage contre la marche des errants aux pieds poudreux. La colère remonte un chemin de dents et de griffes. Or, il aura suffi d'un regard pour que le remords mange sa part de chair. Notre tête s'embrume.

Convulsions du coq assailli de coups d'ergots. Des profiteurs impitoyables réclament le corps du vaincu.

Prenons garde que la mort ne déteigne sur notre vie. Faux éclat du chrysocale. Nous sommes des pleutres, des impurs et des pourris. Il nous faudra nouer d'autres alliances plus durables en touchant, de nos doigts usés par l'âge et la peur, les mains vierges de nos enfants. Résonance du verbe sans détours.

La réponse et la question s'articulent dans l'angoisse et le balbutiement. Nous avons entendu une voix de femme. À notre approche, une anguille, toute de souplesse et de ruse, s'est enfuie dans le flou du silence.

Soleil caraïbe, soleil de bousillette en feu. Nous poursuivons notre chemin, la bouche sèche, les yeux exorbités, à travers un amas de broussailles. Nos rêves se brésillent en fines poussières. Picotement. Fourmillement de chenilles le long de notre échine.

Racontars, médisance et coups de marteau. Ils échangent des cancans à nos dépens. Flottant dans un pantalon fripé, aux coutures effilochées, Gédéon tourne en rond dans sa chambre. Un instant, il risque un regard par une fente de la fenêtre qui donne sur la cour, et contemple la chute molle des feuilles du mapou.

Les suceurs de culs se glissent à croupetons entre les fesses de la sorcière, les lèvres barbouillées de mucus, d'excréments et de sang.

Bribes de paroles jetées au hasard, le dos tourné à la flamme vacillante. Ils voudraient nous attirer dans une ronde de corps drogués, entrelacés dans les partouzes de la mort. L'appât et son tétanos foudroyant. Nous n'avons pas mordu à l'hameçon. Des gouttes de sang se coagulent sur le poli des galets. Les idolâtres du veau d'or se traînent à plat ventre, se prosternent devant leurs maîtres pour mieux lécher leurs orteils encavés de pus, enrobés de miasmes. Jongleurs de cirque, ils croient pouvoir nous ensorceler, par un temps maussade, avec un répertoire de fioritures et de trucs bizarres. Exhibition, diversion et querelles byzantines pour dissimuler le guêpier.

De violentes aigreurs picotent l'estomac des affamés qui marchent de jour et de nuit dans la violence terreuse de l'envie, de la vengeance et de la soif. L'attente et le désir nous épuisent. Nous agonisons depuis longtemps, éprouvant la vie telle une succession de morts évitées dans un chemin accidenté tendu vers l'ailleurs. De jeunes écervelés, enivrés des reflets du soleil sur la mer diaprée, oublient la règle du jeu. Fascinés par le creux du nombril et par la courbure des hanches, ils perdent de vue l'étendue des corps et la profondeur des eaux.

Les zombis aux jambes tordues s'échinent dans la boue des marécages en bégayant oui ouan même décor / même cadrage oui ouan gémissements espacés oui ouan suave coloration de l'aube / le soleil rase la cime des mornes / la brutale irruption / exaspération de la chair torturée en un ruissellement de sueur et une persistante odeur de bouc.

Les os des squales blanchissent dans l'eau bouillante ; et le cœur sanglant de la flamme palpite sous la marmite noircie de couches de fumée. Claudiquant parmi les lianes enchevêtrées d'un passé de brouillard, Gédéon palpe des ombres froides, les jointures labourées par une horrible douleur rhumatismale.

Un seul mot pour une végétation de rêves et d'idées. Nous guettons les œillades discrètes de la lune sous le rougeoiement des nuages d'apparat. Serpent nerf de bœuf / une comète d'insondable augure surgit à l'horizon. Des cohortes de chômeurs désœuvrés tentent alors de décrypter, au gré de leurs fantasmes, les messages inscrits dans la queue chevelue de l'astre errant : chambardements politiques, séismes économiques, crises financières, secousses telluriques, guerre mondiale imminente, explosions en chaîne de bombes thermonucléaires, l'apocalypse. Mille ans se sont déjà écoulés, s'écrie le pasteur Pinechrist au cours d'un de ses prêches sous une tonnelle dressée dans une vaste cour bondée de pauvres paysans naïfs, mais deux mille ans ne passeront pas je vous le dis en vérité un ouragan de feu jaillira des entrailles du ciel pour consumer les pécheurs impénitents ! Troubles profonds. Tressaillements d'émotion. Quels sont les responsables du mal ? Qui a dévoré les petits du tigre, pendant que celui-ci dormait ? Quels sont les véritables auteurs du crime ? Des nuages s'amoncellent à l'autre versant de la montagne. Une nuée d'oiseaux migrateurs volent en silence. Depuis trois jours, nous n'avons presque rien goûté. En dépit des affres de la faim, nous ne mangeons pas à tous les râteliers. Déambulant le long de la route écrasée de soleil, les joues en sueur, une femme, portant un enfant sur les bras, se lamente en marmonnant des plaintes embrouillées. Penché au-dessus d'une rigole infecte, un ivrogne en guenilles vomit son cœur et ses poumons.

Sinistre halètement du vent. Éparpillement de fatras. Nous mettons en regard deux paroles qui n'ont plus le même poids. Des oiseaux criards, harcelés par la faim, tanguent sur les ailes de l'ouragan ; ils vont bientôt crever d'épuisement, le bec enfoui dans l'immobilité des sables impossibles et amers. Pesanteur et langueur des corps délabrés, emportés par le sommeil. Nous nous inclinons sous le poids des bruits étranges corsant la magie indéchiffrable des nuits encapuchonnées de meurtres. Nous nous redressons au souffle des premières musiques de l'aube. La douleur brûle telle une mauvaise plaie aux flancs du jour ; la misère bourgeonne ; et la faim, cancer tenace, étend ses métastases dans l'incendie des gorges sèches et le volcan des tripes en effervescence. Poudre de pluie mêlée d'acide. Le démon pisse sur nos têtes de clowns. Dans nos bouches infâmes, une accumulation de salive plus amère que du fiel. Désir ravivé au fil de la langue. Les nourritures piégées nous attirent, mettant à rude épreuve notre appétit d'omnivores sans mémoire. Passe le temps dans le renversement des paysages investis par l'animalité. Parcourant l'amour à rebrousse-poil, nous recensons un à un nos illusions et nos chagrins.

Les caïmans à l'haleine fétide tirent la langue, dans un grouillement de vers et un vrombissement de mouches. Étalage de chair, de viscères et d'os pour la violence charcutière. Magma de tripes déchiquetées. Qui saurait prévoir ce qui se cache dans le ventre de la bête candide attachée à l'autre bout de la corde ? Qui saura jamais dévoiler le mystère de nos paroles tues ? Par miracle, nous avons échappé à la démence irréversible. Nos mains ont retrouvé le chemin des fleurs curatives. Maudissant la sécheresse

à dents dures, nous accueillons, à feuilles épanouies, à corolles
ouvertes, les folles poussées de la saison pluvieuse. Nos branches
germinent dans le heurt des lumières éparses. Élan acrobatique
pour la survie, tandis que se poursuit le jeu de la mort caparaçon-
née d'ombres.

Affrontement de deux coqs de race. Le septième combat
s'ouvre avec l'arrachement d'un globe oculaire dont l'humeur vitreuse s'épanche autour des barbillons de la bête
ensanglantée.

À nos lèvres irritées par l'atrocité d'un secret gardé
trop longtemps, la persistance d'un goût âcre. Nous jetons
des regards distraits sur les fétiches accumulés le long de la
route. Drogues zombificatrices et houangas jetés au bord
de la nuit. L'amour à califourchon épie les stratagèmes de la
mort, cachée sous le lit, réfugiée dans le velours du silence.
Difficile combat. Nous étayons d'espoir le cœur menacé
d'effondrement. Précarité des paroles sans racines. Notre
langue s'engourdit peu à peu. Nous restons en dehors de la
danse, figés dans l'insularité de nos douleurs. Pourtant, la
musique se déchaîne dans le voisinage de l'arène.

Attentif à tous les bruits, Philogène ferme les yeux,
humant de temps en temps, auprès de la marchande de fritures, l'odeur de grillots épicés qui grésillent dans la graisse
bouillante.

Temps de réflexion et de rêverie.

De l'incertitude à la passion, le doute se métamorphose
en angoisse. Zofer rit aux éclats en versant du vinaigre sur les
plaies des zombis.

Ils voudraient que nous prenions le chemin des sources taries.
Soûlés de nourritures au cours d'un riche festin, des convives
barbinards et pansus se frappent la bedaine en chantant : Vive la
mémère, la bonne vache laitière ! Vive la paix des rues, l'unité dans

la bouffe ! Vive la grande entente, l'harmonie des consciences ! Vive la même ère, le suc de ses mamelles ! Et vive la patrie, la bonne vache laitière ! Puis, un à un, les malfinis et les mangeurs gloutons se retirent, la tête vide, les yeux pleins de vertige, le cœur bourré de paille, après s'être lavé les pieds au champagne et au scotch. Le même soir, dans la même ville, des milliers d'enfants, les tripes entortillées, l'estomac labouré par le grand-goût, s'endorment sans histoire, en rêvant peut-être au morceau de pain et au verre de lait qu'ils n'ont pas eus.

Même décor oui ouan mêmes frontières oui ouan même ligne de crête séparant les deux versants de la montagne oui ouan l'engrenage de la faim et la mastication du vide oui ouan pourrissement de cadavres d'animaux dans les bleds miteux oui ouan les oiseaux pendus aux cloches des églises se transforment dans nos rêves en chiffres de borlette oui ouan de leurs ailerons les requins nous tronçonnent le corps oui ouan les spécialistes du jeu de poignards nous tranchent la langue la pine et la sacouille oui ouan ils nous beurrent la cassave à la fiente molle oui ouan nous nageons dans l'insipidité des eaux stagnantes oui ouan oui ouan oui ouan.
Nous temporisons devant le cambrement agressif des monstres doués pour le viol ; leurs bouches vomissent un jargon inextricable. Nous regardons sans parler, en essayant de deviner, sous l'éclat des apparences, les zones de vulnérabilité et de fragilité secrètes. Renversement fracassant de nuages gorgés de pluie. Nos oreilles bourdonnent. Inquiétude et déchirement. Nous percevons les premiers cris de douleur de la femme enceinte. Rupture de la poche des eaux. À l'embrasure de la nuit, nous guettons les saillies de la lumière, impatients de palper de nos doigts fébriles les formes nées de la copulation des ombres fugitives.

Caractère insolite du septième combat au cours duquel un arbitre insensé a laissé un chien enragé et un chat sauvage s'affronter dans l'arène. Semences d'orties vénéneuses

dans nos lits, transformant notre corps tout entier en foyer d'incendie. Misères et flux de déveine. Le vent voyage sans escale à travers les décombres de nos maisons. Le coq voisin s'écroule, foudroyé au milieu de la gallière. Ruptures successives des barreaux de l'échelle accrochée au nombril de la lune en partance. Jérôme s'est foulé la cheville dans le grenier.

Zofer frotte la plante des pieds des zombis à l'aide d'une brosse métallique. Gédéon s'enfonce, s'égare dans un vague soliloque entrecoupé d'éructations bruyantes. Couchée sur une paillasse au bas de l'escalier, Rita revoit, par des hublots imaginaires, l'étagement des collines sillonnées de ravins, le vallonnement des champs de sisal, les chaumières et la mer de son village natal.

Altercation, jet de pierres, panique dans l'arène.

La marchande de fritures a déchiré un morceau d'étoffe pour panser ses blessures. Les maillons de la vengeance s'enchaînent interminablement. Huile amère versée sur d'inoubliables morsures. Colère brassée à pleines mains. Carmeleau se tient en équilibre sur son cœur qui roule à la bouline sur les vagues du vent, tandis que fonce l'attelage fougueux de la foudre indécente, aveugle et destructrice. Imminence de la métamorphose. Les zombis ne transpirent presque pas, même quand ils travaillent toute une journée dans les marécages.

Deux amateurs gesticulent de manière cocasse en jaugeant leurs coqs dans un combat simulé en dehors de l'arène. Coups d'ergots faussant le jeu et défalquant une crête ensanglantée.

Déglingage et bagarre. Les zombis pètent et éternuent sous une rafale de houssines, en nasillant des murmures ponctués de oui ouan ; des mucosités couleur de corossol, de cachiman et d'avocat pourris s'écoulent de leurs narines baguées de fer.

Le soleil dresse un bûcher à l'horizon du couchant ; les bourreaux hystériques piaffent dans une mare de sang. Nous disposons de très peu de temps pour seller la mule sauvage.

La gorge en fleurs, nous nageons à grandes brasses dans l'eau lunaire, glissant de biais à travers l'élasticité des heures nocturnes. Quand le poids des grandes fatigues menace d'ankyloser nos nageoires, nous faisons la planche, contemplant l'écaillure de la voûte céleste, respirant le parfum des étoiles. Flairant notre passage, une armée de squales se lance à notre poursuite durant tout le reste de la nuit. Au lever du jour, le temps se masque le visage au dévoilement d'un soleil orphelin. Les portes des maisons restent closes. Le corps recouvert de varech et de laitance, nous marchons sur la terre ferme, à travers les sentiers des villages et les rues des villes, à la recherche d'un sésame, d'un passe-partout. Nous sommes des cambrioleurs de rêves en plein midi.

Coqs blessés / coqs frappés à mort. Coqs tués / coqs étendus raides morts. Crêtes déchiquetées / plumes éparpillées. La gallière est infestée de voraces, de criminels et d'assassins.

Zofer s'arme de ses tenailles. Les dents des zombis sont arrachées une à une. Clodonis tombe la face contre terre, le visage à l'envers, le corps bardé de plaques lépreuses, la tête bosselée de contusions. À la fois exaspérés, humiliés et meurtris, nous imaginons, pour le ressourcement de notre âme, la résurgence d'une musique enfouie sous les sédiments de l'Histoire, la résonance du lambi et le grondement du tambour au fond des mornes. Impuissants et passifs, nous perdons notre temps à mesurer l'inclinaison du soleil dans le balancement de nos ombres, sans pouvoir décider l'heure du départ. Par peur du risque, nous tremblons, figés sur les rives agacées du désir, inhibés par la phobie du danger, et pourtant fascinés par la sauvagerie d'une aventure sur la mer symphonisée d'orage, de pluie et de vent.

Gaston est parti vers l'île de La Gônave à la recherche de sept jarres remplies de carolus. Un lourd remords nous pèse sur la conscience. Notre poitrine se déboîte. Les bruits de notre respiration nous ébranlent et se répercutent en dehors de nous-mêmes.

Un filet de mémoire serpente à travers les ventouses de l'oubli. Frétillements de l'espoir. Dans quel dédale se sont enchevêtrées nos branches ? De quel côté du fleuve s'enfoncent nos racines ? La route est parsemée d'embûches. Nourritures piégées. Fossés. Falaises. Émergences rocheuses. Troncs d'arbres morts. Tessons. Bouteilles brisées. Marécages. Sentiers bourbeux. Bêtes voraces. Les coups de dents de la faim. L'émeri et les rugosités de la soif. L'essoufflement. L'épuisement. Comment dissoudre l'interrogation des pierres tourmentées de soleil ? Un vent à odeur de soufre se fraye à ras de sol un chemin de rage à travers nos vêtements en lambeaux, nos lits délabrés et nos maisons brûlées. Marchant à la recherche d'un abri, nous avons escaladé des collines abruptes et contourné plusieurs fois les limites du village. Les yeux fermés, nous avons frôlé les empieuvrements de la mort en de sombres lagunes, abattus par le naufrage de nos rêves d'asphodèles dont les épaves flottent hors de nos mains transies.

Une nuée d'oiseaux s'envole vers des espaces inconnus. D'innombrables fleurs se fanent sur des branches privées de sève. Une multitude de questions nous brûlent la langue, mais nous les gardons derrière nos dents tant que nous traversons de telles végétations de détresse qui bientôt ne seront plus que de vastes étendues désertes. Hésitations et marmottements sourds. Errant à travers un fouillis de mangliers, nous côtoyons la mer. Cristaux de sueur sur notre corps. Amertume et rides à nos lèvres. Autour du cou, le hounguévé. Sur la langue, le migan. Nous tiendrons longtemps encore. Nous tiendrons jusqu'à la saison du maïs mûr.

Déveine persistante et insurmontable. Nous avons fui un cercueil porté par des fossoyeurs virevoltant de joie, pour tomber sur des cadavres empilés dans notre lit. Chiens sans voix, nous avons bu de la verveine. Au-dessus de la mer, un soleil aux gencives

violacées ouvre ses bras. En un tour de main, nous le capturons.
Puis, butant contre les aspérités des nuages de garde, nous glissons.
Et pour la énième fois, il nous échappe pour disparaître en une
plongée à l'horizon. Nous bifurquons précipitamment de l'autre
côté de l'amour, de l'autre côté de la mort. Pourtant, la saison n'a
pas encore vraiment mûri, et le vent n'a guère changé de direction.
Alors, pourquoi avons-nous viré de bord ? La vaksine nous brûle
les lèvres. Tirant sur un cachimbo à contresens, nous avalons des
bouffées de fumée. Le calalou-gombo file entre nos doigts. Notre
cœur, asséché par des serpents-pieuvres, mal allaité par des nour-
rices aux mamelles taries, se fendille dans l'anémie de l'automne.

Autour des lampes éteintes se trame un étrange compromis
entre les ombres récurrentes et l'hystérésis des clartés qui, s'estom-
pant, impressionnent nos yeux de mille chatoiements avant de
s'évanouir dans l'étirement d'un temps veuf d'espace. Paralysant
notre âme, le renflement du remords et ses frontières de cendres.
Pourquoi donc avons-nous viré de bord, alors que le paysage n'a
pas encore reverdi ?

Le septième combat se prolonge en pleine nuit. Notre
coq se défend bien dans la gallière. Une bande de cannibales
travestis en archanges protecteurs danse et voltige autour
d'un feu vorace ; convoitant la chair de nos enfants, ils rient
sous leurs masques et se frottent les dents les unes contre les
autres, aiguisant davantage leur appétit de fauves insatiables.

Mordre en traître. D'un seul coup de machette, Zofer
tranche le poignet d'un zombi et le jette à une meute de
chiens affamés qui s'entredévorent en se disputant les phalanges ; puis, il plonge le moignon sanglant dans le chaudron
d'huile bouillante de la marchande de fritures qui, pétrifiée
de saisissement, évacue un mélange d'urine, de menstrues et
de diarrhée couleur de mamba, maculant sa robe de zéphyr
et ses longues jambes brunes. Hurlements jaillis du fond des
nuits oui ouan voix issue des soubassements de la conscience

engorgée oui ouan les zombis revêtus d'une chabraque marchent tête baissée à la file indienne oui ouan nous n'avons pas su veiller au maintien de la flamme oui ouan bruit de crécelle et silence oui ouan cisaillement de l'espace et partage des eaux au goût du maître oui ouan le manchon tranché en rondelles de saucisson oui ouan le rectum retourné tel un gant écarlate veiné d'hémorroïdes oui ouan l'éclatement des testicules sous le talon des bottes oui ouan la perfection du viol dans la fragilité des nuits rythmées de pluie oui ouan et tous les zombis se couchent à plat ventre pour lécher les vomissures et les miasmes des semeurs de deuil oui ouan oui ouan oui ouan.

Jérôme suffoque de colère dans le grenier.

Un taureau étalon s'apprête à saillir une génisse ; tous deux chavirent dans un fossé. Ils ont suivi des itinéraires différents pour aboutir au même endroit. Brassage des feux de l'enfer en plein jour. Certains amateurs dégainent leurs poignards ; d'autres empoignent leurs bâtons. Le vent se lève tout d'un coup. Des voyageurs, de passage à Bois-Neuf, excitent leurs montures par des onomatopées, le dos tourné à la terre qui saigne. Nous nous précipitons dans un champ de lianes épineuses, le corps aussi souple que celui d'un chat sauvage.

Vacarme dans l'arène. Nous rassemblons nos bagages dans un coin. Qu'allons-nous tenter sans ailes et sans voix devant la nuit infranchissable ? Carmeleau et Philogène, tournant en rond, se rencontrent dans leur va-et-vient entre l'espoir et la désillusion. Le combat de coqs s'anime en dépit du mauvais temps. Un paysan, à Ravine-Sèche, a terrassé sur les traverses du chemin de fer un chouquet-de-la-rosée. Cela nous a marché vivement dans le sang.

Quelques amateurs, venus de loin, voudraient introduire des pintadines dans le gallodrome. Scandale et bagarre. Les cris des enfants vautrés dans le sable du littoral se mêlent étrangement à la rumeur des vagues.

Lutte libre à l'intérieur des latrines au grand ahurissement des vidangeurs virés de leur travail sanitaire. Les adversaires se lancent en plein visage des perruques imbibées d'urine et des mèches de saucisses moutarde, fraîchement évacuées de leurs culs. Appuyé contre un mur, l'arbitre, un vieillard édenté, se branle, les yeux fermés, laissant échapper de ses lèvres tartinées de bouillie gastrique des sons mouillés qui rappellent un peu les sifflements des canards grisés de joie dans leur barbotière.

Errant à la recherche de notre ombre, nous bafouillons, nous mangeons les parties essentielles de nos paroles, ne croisant sur notre route que des créatures zombifiées, des mannequins et des fantômes exhalant une repoussante odeur de chloroforme. Des phallophages voraces, cacadeurs et péteurs, nous harcèlent. Exceptionnellement doués dans l'art de mariner des promesses mirifiques, offrant des avantages bidons, ils sollicitent partout des paris. Décortiquant leur cuisine savante, nous avons vertement refusé le compagnonnage de l'hypocrisie et du malheur en repoussant leurs cadeaux embarrassants, en jetant à la poubelle leur mascarade décorative, en renversant les tables garnies de nourritures empoisonnées. Imbus de la portée de nos actes, et n'étant plus les seuls à en payer les frais, nous avons aussitôt réuni dans nos mains nues les étoiles éparpillées dans nos rêves. Effrayés par l'immensité des étendues de sable, sauront-ils jamais dénombrer notre progéniture ?

Des corneilles braillardes passent en vol serré au-dessus de l'arène. À l'intérieur de la gallière, un coq capitulard n'éprouve aucune honte à crier sa reddition à grands coups d'ailes.

Zofer, soupçonneux, épie les moindres gestes de Sultana dont même le silence lui apparaît comme un signe évident de culpabilité. Gardien et bourreau intraitable des zombis, il ne dort presque pas la nuit, sauf d'un sommeil léger souvent interrompu par les bonds acrobatiques du chat domestique voltigeant à la poursuite des rats qui d'habitude s'aventurent, en quête de nourritures, jusque dans l'immense dépôt où s'accumulent des centaines de sacs de riz. L'œil exercé de Zofer perçoit tous les mouvements des corps qui bougent dans le noir.

Réveil tardif d'un coq drogué en plein combat. Nous n'engagerons pas nos mises à l'aveuglette. Ils voudraient se rattraper à nos dépens, en essuyant sur nos enfants le sang de leurs honteuses blessures. Nuit lugubre à l'embranchement des routes enfarinées par les vêvês du malheur. Les vagues de la mer s'éteignent dans une débauche d'écume sur le sable. Saintil laboure toute une rangée de fosses fraîchement creusées, à la recherche d'un corps récemment inhumé dans le cimetière. L'odeur de la mort se répand. Les exhalaisons de cadavres pourris arrivent par bouffées jusqu'au village. Le septième combat dure encore. Deux coqs de même vaillance échangent avec rage des coups d'ergots.

Là-bas, dans sa cachette à Ravine-Sèche, l'oreille attentive, Jérôme frémit lorsque lui parviennent par vagues irrégulières les clameurs jaillies de l'enceinte du gallodrome.

Nous venons tout juste de naître. Pourtant, nous sommes en route depuis longtemps. Un bruit de clé tournant dans une serrure nous tire de nos songeries. En pleine nuit, les zombis sont traînés vers les marécages, houspillés à coups de cravache. Remuez vos fesses balancez vos couilles entre vos cuisses oui ouan pas de souffle panique oui ouan pointez vos culs pour votre ration quotidienne de triques oui ouan dégoulinement de sang sous la chabraque ne passez plus la main l'arrosage des rizières n'est pas achevé ne s'achèvera pas de sitôt vous travaillerez longtemps encore oui ouan la barque s'enlise dans l'étang boueux poussez jusqu'à votre dernier souffle oui ouan poussez de toutes vos forces pour ouvrir les portes de l'enfer où vous deviendrez d'adorables saints martyrisés oui ouan bientôt il ne restera plus une cicatrice sur toute la surface de votre corps aujourd'hui meurtri oui ouan désaltérez-vous de vos urines bénites oui ouan ouvrez vos gueules de macaques pour le déversement des déchets parfumés aux sources puantes oui ouan et vous revivrez dans la meublerie d'un amour nourri de pourritures et de charognes jusqu'à la fin des temps oui ouan oui ouan oui ouan.

Euphorie de putes comblées de luxe et d'argent ovationnant l'érection des verges lubrifiées à la menthe anesthésiante pour que dure le fourbissage des armes avant la charge à la baïonnette. Partouze sur un lit imbibé d'acide, parsemé de tessons. De nombreux poignards sont affilés pour prévenir toute rupture de la chaîne sacrée et synchroniser ainsi l'orgasme collectif. Cri et geste d'hystérie. Prolifération des maux. Sexe et retardex. Banda euphorique. La crise est générale.

Nous venons tout juste de naître. Nous nous réchauffons le sang au bord d'un feu non encore allumé. Nous nous réchauffons le sang dans un feu allumé au fond de notre âme. Et nous nous sommes brûlé les doigts en tentant de briser, à maintes reprises, le cercle de l'isolement. Rixe aux poignards. Les fossoyeurs rient à gorge déployée. Ne dormant que d'un seul œil, nous entonnons au milieu de la nuit des chansons de mise en garde. La mort aussitôt rebrousse chemin et s'éloigne dans un virage. Au cas où notre voix faiblirait et que nous soyons obligés de nous terrer dans un douloureux silence, qui saura soutenir le chant pendant notre absence ?

La nuit est longue, interminablement longue. Nous nous sommes rassemblés pêle-mêle au carrefour de minuit, la tête embroussaillée d'étoiles. Notre mémoire, enfouie profondément dans une eau sans racine, se trouble. La mitraille nous brûle la chair dans le miroir, traversant notre voix de part en part. Qui saura soutenir le cri à notre place jusqu'à l'aube ? Une lumière fulgurante, escarpée de silence, nous éblouit. Sous le poids des far-deaux jetés sur nos épaules à chaque escale, nous plions l'échine en cours de route. Pourtant, il nous reste encore une bonne longueur de chemin pour retrouver et couper les racines de la mort. Fleurs maudites. Bourgeons maléfiques. Ombres épileptiques. Au cas où le soleil bifurquerait au-delà de l'océan sur une voie de non-retour, qui saura réchauffer le sang de nos enfants ?

Le fleuve en débordement a inondé les maisons jusqu'au faî-tage. Les chiens s'y sont noyés. Il souffle un vent de terreur ; et nous dansons à contre-tour. Une nuée d'oiseaux s'envole d'un trait pour ne plus revenir. Une bouche enflammée crache des jets de feu sans jamais s'arrêter. Plus brillante que l'éclair, la langue menace, blesse et foudroie, pire qu'une lame à double tranchant. Plus affi-lée qu'un poignard, elle crève le cœur, déchire les entrailles. Plus bruyante que l'orage, elle franchit toutes les murailles, enjambe les nuages au-dessus des hautes tours. Plus légère qu'une plume d'oiseau, elle tournoie dans tous les sens. Des amateurs de combat de coqs se lancent des insultes au milieu de l'arène ; ils s'étripent les uns les autres. Soumettant leurs injures au crible du jugement, nous n'en relevons que des paroles incohérentes.

Toute la nuit, nous cherchons avec obstination derrière le miroir. Les mains tendues et crispées, nous traversons notre oasis, nous survolons notre image, nous approfondissons nos brèches. Et notre ombre s'égare, pour une éclipse de longue durée. Le soleil ne reviendra pas de sitôt. Suçant le lait de l'espoir, nous n'entrevoyons personne, nous n'avons trace de personne, nous ne flairons per-sonne, nous ne sentons aucune présence, nous ne percevons aucune voix. Paroles ambiguës. Paroles lancées au hasard. Les flammes du poison brûlent les langues indiscrètes. Nous avons rêvé. Nous nous sommes réveillés. Nous avons marché. Nous avons cherché. Nous n'avons point trouvé le secret des cadences harmonieuses.

Nous recommençons à chercher. Nous continuerons longtemps encore à chercher.

Ting dégoutte tac! Toute action engendre automatiquement une forme de réaction. Les mollusques et les cloportes, cachés sous les pierres friables gonflées d'humidité, n'imaginent guère la somme de secrets enfouis à l'intérieur de la calebasse. Un encouleuvrement de mots sinueux se détortillent. Un attelage de verbes sauvages se lance à vive allure dans la savane. Un feu d'harmonie musicale se répand dans les rues. Coups de braguette pour la stimulation et la simulation jaculatoire. Grimace des masques accédant à l'orgasme par la déchirure des fourreaux et le tatouage des sexes. Jaillissement de paroles touffues, noueuses, ondoyantes. Sans être chevauchés par des loas, nous crions : ayibobo !

Dans nos rêves, nous écumons de rage. Au réveil, disposés à livrer tous les combats, nous cherchons avec acharnement. À bout de souffle, nous rôdons dans les coins sombres, marchant à pas feutrés, nous écorchant le visage contre les aspérités des pierres brutes, sondant du doigt les lézardes des vieux murs. Une miette de maïs sous les ongles, un grain de sel sous la langue, nous n'avons peur de rien, ni d'Ève, ni d'Adam, ni du serpent. Vingt siècles de luttes ne nous effraient nullement. La patience, l'endurance, la résistance, enracinées dans nos tripes, imprègnent toute notre vie de peuple bafoué. Nés dans la crasse et la pouillerie, pétris par la misère, colletés à l'expérience quotidienne de la douleur, que pourrions-nous craindre de plus ?

La lune, pleine à mettre bas, a bu l'eau de l'étang sous un gommier. Nous nous engouffrons dans un buisson obscur; nous nous étendons sur des épines; nu-corps, nous dormons dans des fourmilières. L'oreille sensible, nous percevons toutes les rumeurs de la vie mêlées aux râles de la mort. Ô Maître Antoine-des-Gommiers! Dans quelle direction souffle le vent ? Par tant de fissures, comment éviter l'éruption des passions volcaniques? Les extravagants, fascinés par leur propre manège, assoiffés de mythes, se complaisent à rouler entre leurs mains nerveuses leur molle chandelle éteinte et à sucer leur nombril gangrené. Nous les observons pendant longtemps sans rien dire. Un amas de paille sèche, s'accumulant au fond de notre gorge, bloquant notre luette, s'infiltrant dans notre trachée, menace de nous étouffer. Pour nous exprimer, nous tâtonnons à l'aide de mots tronqués et de cris inventés.

La fièvre saisonnière nous brûle le sang. Nous pataugeons dans un bourbier. Nos bras se détachent de notre corps en détresse. Nos orteils tracent dans le sable des vêvês qui ressemblent aux fleurs de la mort. Hanches déboulonnées, coccyx foiré, vertèbres dévissées, à la suite de pirouettes périlleuses. Coups de pubis ponctuant la danse banda. Euphorie aveugle devant le malheur. Les paupières engourdies, nous frôlons les sables gloutons de l'enlisement dans la mouvance des pièges. Nous sommes sur le point de sombrer dans l'inconscience, si nous ne nous remuons pas et que nous tardions à réagir pour nous éloigner de la zone dangereuse.

Nous avançons avec lenteur. Auscultant les entrailles de la terre, nous percevons les palpitations des nerfs volcaniques. Regardant le ciel, signe de malchance, le temps s'est masqué le visage. Nous espérons malgré tout pouvoir nous abriter contre la fureur des pluies d'acide et de feu. Nous avons beaucoup marché bien avant le lever du soleil. À l'aube, la rosée suinte rose sur les feuilles des arbres. Cris prémonitoires de la valse des vautours. Nos ombres prennent la forme de nos douleurs. Du revers de la main, nous épousetons nos vêtements pour enlever la poudre madichonneuse à odeur de soufre. Les femmes et les enfants guettent notre retour, tandis que les chiens du quartier, flairant notre arrivée, nous accueillent au tournant de la route avec des jeux de queue et l'onction mielleuse de leur langue charnue.

Pendant que nous dormions, de nombreux rêves se sont enchevêtrés dans notre tête ; ils auraient flambé, semble-t-il, de trop d'ardeur, et nous les avons vite oubliés. Entre nous, l'infrangible absence; nos lèvres se touchent déjà. Nous ne nous sommes encore rien dit; nos voix s'entrelacent inséparables. Amoureux jaloux, le démon bat sa femme. Midi, la pluie, l'amour, nous formons un corps fragile. Pour sceller notre alliance, nous marchons sur des tessons brûlants, et les étoiles s'enivrent de notre sang répandu. En plein rêve, nos mains anticipent sur le jaillissement de la lumière.

Perfidie de nos ennemis qui ont joué toute une panoplie d'atouts pour émasculer nos enfants. Nous en avons ri intérieurement; nous en avons ri du plus profond de nous-mêmes, sachant qu'ils ne parviendraient qu'à violer des poupées de cire mises à la place de nos filles, sans jamais se rendre compte du subterfuge. Excités, ils apprêtent des poignards rouillés pour châtrer les zombis. Ah! Que d'amis et de camarades, épouvantés par les ravages nocturnes de lasigoâve, se sont enfuis vers un ailleurs lointain! Nuit longue. Nuit d'ombres épaisses. Acculés à la solitude, nous glanons les astres qui nous agacent les yeux, et nous comptons une à une les étoiles filantes.

Une horde de voraces ont assailli la femme enceinte que nous recherchions; ils l'ont éventrée et ils ont arraché l'enfant de ses entrailles. Le lendemain, au lever du soleil, nous entendîmes une voix de femme. Nous nous empressâmes de regarder, de palper la plaie. Une corne de lumière avait tôt bourgeonné à l'endroit du nombril, donnant lieu à de nouvelles pousses d'herbes sauvages.

Chaque matin, nous enfonçons un pieu dans le sol pour compter les jours qui passent. Nous parlons tout seuls. Nous parlons à nous-mêmes. Le tranchant des éclairs nous a blessés jusqu'aux os. La terre a saigné; l'eau a frissonné; la lumière a trembloté. Nous en avons frémi. Tête de travers. Épaules disloquées. Mains difformes. Hanches désaxées. Jambes tordues. Nous sommes métamorphosés en singes de cirque, avec une démarche grotesque. Serions-nous en train de jouer la comédie? Quel serait notre véritable visage? Aurions-nous changé irréversiblement? Sinon, s'agirait-il d'un stratagème de notre part?

Le vent taillade la langue de ceux-là qui soliloquent dans les rues. Les lèvres enténébrées de désirs, nous passons pour des fous inoffensifs. Couteaux menaçant nos entrailles sanglées, et transperçant nos poitrines oppressées. Nous avons vomi du sang à grands jets. Abandonnés à nous-mêmes, nous tâtonnons ; et la nuit nous a surpris dans un ravin sinistre. Les combats font rage dans l'arène. Violents échanges de coups de machette. D'affreuses créatures, étendues sur le sol, nous barrent le chemin. Nous avons rêvé que nos doigts deviendraient des passe-partout. En chatouillant la vie aux flancs, nous forçons la mort à rebrousser chemin. Fortuitement nous avons croisé notre ombre ; elle ne nous ressemble guère. Nous lui avons parlé ; elle ne nous a point répondu. Nous avons froid jusqu'aux os.

Pendant notre sommeil, l'aiguille s'est cassée, l'œuf s'est brisé, l'oiseau s'est enfui. À notre réveil, nous avons marché, errant et furetant çà et là. Nous avons avalé du vent. Nous nous sommes couchés sous une pluie fine et froide, ayant oublié le chemin qui nous conduirait à la maison. Affreuses machinations. Ils nous ont fermé la bouche à clef, après nous avoir noué la langue. Brusquement, nous nous mettons debout, la rage dans l'âme. Nous bondissons ; nous ruons. Nous nous jetons par terre. Nous rebondissons. Nous enlevons le tribart qui nous emprisonnait le cou. Notre voix s'élève aussitôt tel un feu d'artifice inépuisable.

Accroupis au bord du fleuve, nous avons nettoyé, frotté nos haillons dans une efflorescence d'écumes et de mousses. Un vent turbulent brasse un tas d'immondices ; le tourbillon nous entraîne tout couverts de poussière. À coup sûr, nous enjamberons la mort assise en son cirque de silence. Nos paroles virent autour d'une ancre folle, et nos gestes chavirent dans un gouffre insondable. Fracas des orages déracinés. À chaque respiration du sable entre les doigts multiples de la mer, notre savoir s'enrichit du souffle enivrant des amours provisoires. Par la déclivité nocturne, le refus des bâillons. Amer le vent qui rouvre les blessures anciennes au poison de la terreur, aux semailles de la vengeance. Quelle flamme nouvelle grefferons-nous sur cette plaie bleue de lèpre ? Par les ligaments nouant nos paroles à la lampe nourrie de sang, nous recherchons la source première.

Souplesse de chat franchissant les clôtures. Paroles aussi fulgurantes que l'éclair, aussi bruyantes que l'orage. Paroles qui marchent et qui s'envolent. Les lumières s'éteignent ; nous n'en savons point la cause. Nous prenons de l'altitude ; nous sommes vraiment des êtres étranges. Entre nos mains et l'aube, l'inversion de la lumière et du silence. Minuit sonne. Bruit derrière nos portes. Nous sursautons, en retenant notre souffle. Nous percevons des cris et tout un flux de paroles ambiguës. Le cerveau dévoré par des masses de vers, nous ne nous souvenons de rien. Balafres de la mémoire, maudites fleurs de l'oubli. Nos souvenirs, réfugiés dans l'ailleurs, se dissolvent dans l'eau de l'absence. Ô Puissances maléfiques ! Rendez-nous sur l'heure tout ce qui nous appartient par les droits souverains de nos douleurs !

Les dernières clartés du jour découpent dans la brume marécageuse les silhouettes des zombis à démarche de tortue oui ouan mâchonnant la merde arrosée de crachat d'urine et de pus oui ouan / le huitième combat a commencé avec la décapitation d'un coq / beaucoup d'autres têtes volent dans une orchestration spontanée de hourras et de bravos oui ouan / lapidation et dilapidation oui ouan / d'un côté la surabondance le gaspillage oui ouan / de l'autre le vide des poches crevées oui ouan / le dénuement des lieux habités par le vent oui ouan / la nudité des corps tournés retournés fourragés repliés à l'envers oui ouan / les marathonistes de la corruption lancent une course folle sur une piste gazonnée de paillettes d'or de billets de banque oui ouan / leurs maîtresses attifées de bijoux s'empalent et s'empistonnent à des leviers de commande oui ouan / sur nos épaules une rafale de coups de gaïac oui ouan / artères sectionnées oui

ouan / luxation des clavicules oui ouan / bouches pourries
vomissant des paroles à relent de sexe fétide oui ouan / nos
blessures s'ouvrent de la gorge jusqu'au nombril oui ouan oui
ouan oui ouan.

*Autour de nous, tourbillonnent des oiseaux à tête de femme
qui nous tiennent lieu de corps de balise dans l'espace du voyage.
Passent les jours, les mois, les années ; et nous jouons en masturbant
des poupées fabriquées grossièrement avec des déchets et des retailles
d'étoffe. À travers les déjections de l'aube, nous recherchons nos
yeux enfouis sous les plaies du soleil. La tête renversée, pointée vers
le bas, nous grimpons l'arbre épineux du doute. Rupture des plus
hautes branches, entraînant une dégringolade bruyante au terme
de laquelle nous restons étendus la face contre le sol. Et la terre nous
soupèse. Les torrents déchaînés nous emportent loin. Bien loin. Le
feu nous consume. Des crabes géants, munis de pinces enflammées,
nous dévorent les tripes. Il s'en exhale une odeur de chair brûlée.
Les puanteurs des cadavres et des charognes se répandent à travers
les nervures et la chaleur suffocante du vent d'été. La croix et son
cortège de malheurs s'ébranlent. Nous nous empressons de fermer
les portes de nos maisons et de barricader les fenêtres. Les folles grimaces devant le miroir attirent la sécheresse, la mort.
Nous semons et glanons des paroles ambiguës ; et nos rêves se
dispersent toujours sur les mêmes chemins, à travers le même paysage, dans la répétition et l'irritation de gestes fortuits et dérisoires.
L'âme ouverte, nous fouillons au fond des mots ; nous cherchons
les lignes de couture de la lumière. Nous retrouvons une ombre
informe en dissolution dans la fumée du hasard. Nous avons
fouillé jusqu'à l'exaspération. Nous nous sommes foulé les doigts
et les orteils désajustés par l'usure, la lassitude et la nervosité.*

Les idolâtres respirent par une trompette glorificatrice
vissée à leur anus et trimbalent un encensoir accroché à leur
roupette / vivat gloria la mère des putes à molles mamelles

blettes suspendues battant la démesure arythmique en contre-
poids jusqu'aux genoux l'étouffoir d'une masse de chair où
sueur et poussière aménagent des glissements automatiques
sur coussins lubrifiés / plus de temps à perdre dans la viscosité
bitumeuse / en contrepartie la poussière de chaux s'élevant en
un tournoiement de fumée blanche / les incursions de Zofer
et de Saintil à l'intérieur des cimetières / cercueils fendus /
les zombis gémissent oui ouan dans les marécages / des accapareurs de terres arrosées douze mois sur douze / voleurs de
femmes / voleurs d'âmes / voleurs d'eau / l'amour de Sultana
pour Clodonis prend feu / Zofer a des soupçons / Saintil
continue d'introduire des pintadines dans le gallodrome.

Jumelage de la vie et de la mort. La lune porte les cicatrices de la variole. / Rien ne traduit mieux le désir de vengeance que l'envie de renverser une tasse de café amer sur
la table de l'ennemi. / Lèvres serrées. Mâchoires crispées.
Le feu se prépare. / Le coq du voisin a reçu deux coups de
pattes successifs. / Les fardeaux pesants nous disloquent les
hanches. / Zofer a assailli les zombis de coups de fouet. Les
pierres saignent.

Clappement de langue mettant feu aux poutrelles entre les-
quelles bourgeonne un bouton de clitoris préludant la contrecharge
sur la patinoire en plein cirage ; et la musique de fond filtrée par
un transistor Juliette à deux bandes se mêle au souffle rauque du
gymnaste épuisé, éliminé avec un demi-point sur dix, bousillé par
les rotations les pointes et les saccades du vilebrequin besognant à
cinq cents tours à la minute ; et les geôliers jaloux se sont alliés aux
impuissants sexuels pour construire des prisons avec vue sur la mer,
orchestrant la symphonie des moustiques, côté champ de tir terrain
d'exécution pour un requiem sans titre et sans gloire ; des tourne-
sols fleurissent anonymes sur cette vaste étendue de terre maudite
remuée pour la mort ; et file en douceur un voilier langoureux sur

la mer étalée telle une terrasse dans la baie. Tout près de l'abat-
toir, des cochons détalent la queue en tire-bouchon, effrayés par les
détonations meurtrières, tandis qu'un gamin fait pirouetter son
cerf-volant dans le vent du soir. Quelques semaines plus tard, le
sol ensanglanté s'affadit, délavé par la pluie... Mais qui donc aura
parlé du voyage sans retour de tant de chevaliers aux yeux bardés
de rêves et de lunes féeriques ?

L'amour lève l'ancre. Retenons notre souffle pour ne pas
sombrer dans les abysses de la mort. Gaston s'enfonce dans
un corridor ; il enjambe une à une plusieurs flaques de boue.
Débraguettement du cyclone.

Nous avons avalé une cathédrale de mots vifs insérés dans des
rêves antiques ; et tant de paroles étouffées nous font mal au ventre,
tandis que couve l'espoir à fleur de peau. Les clignotements de la
parole devraient nous rendre conscients de notre affreux bégaie-
ment et de la nécessité immédiate d'ajuster un nouveau langage
à l'impatience de nos désirs, sans cavaler vers les régions vertigi-
neuses de la solitude et du délire. Ô miracle du verbe s'incarnant
dans l'écho de nos douleurs et de nos joies !
Le cyclone se propage. La tempête dévaste le fond de notre âme
en détresse. Massacre. Nous traversons le fleuve en crue. Souplesse
des racines de l'eau sous nos pieds pourris de pian. La lune saigne
dans le tremblement de l'eau et la transpiration de la pierre. La
lumière nous déchire les entrailles avec la puissance d'une aile de
squale. Arrimage de cris vifs sur le dallage de la nuit où nos voix
harcèlent les rapaces aux nerfs d'accordéon. Dans notre chute, nous
approfondissons la cruauté du vent et la gravité de nos blessures.
Perchés sur des nuages à vocation de coursier, nous jouons à cache-
cache avec la lune moins âgée que notre ombre. Rêve impair se pro-
longeant hors de nous dans la fertilité du hasard et la patience du
porte-à-porte. Voyageant sans cesse, nous vérifions nos goûts dans la
variabilité des passions et l'intérimat d'un amour à destin fugace.

Tant d'inquiétude dans le recyclage de nos sentiments quand le cœur enclenche la vitesse supérieure de l'émotion. L'apocalypse s'approvisionne déjà à la source des mensonges et des crimes gratuits, au point que les paysages révélés ne sauraient nier la fête sanglante ni l'éclat de la vengeance future intarissable. Sous le découpage des questions-pièges se dessine le cancer muet des squelettes à dentelles. Toute l'intelligence du jeu réside dans la destruction opportune des pièces de l'échiquier.

Le faîtage de la maison a brûlé ; un pan de ciel nous sert de lieu de toiture. Nos ennemis ont répandu des pelotes de poil à gratter dans la cour où nous vivons ; ils ont ensuite semé du poivre dans l'arène. Nos enfants ont hurlé à tue-tête ; ils en ont la voix toute rauque. À peine sortis des limbes de la nuit, prenons garde que la lumière ne nous dévore les yeux. L'espoir se perd et se retrouve dans la molle nudité du sable qui s'étend jusqu'aux portes du désert où le désir s'embrase dans l'imaginaire.

Une brindille d'allumette pour mettre le feu aux muselières et aux barbouquettes. Nous crachons d'innombrables paroles, soulageant notre poitrine d'un grand poids. Desserrement de l'étau. Grondement des ténèbres en crue. Nous anticipons sur les démarches tourbillonnaires de l'aube. La bobèche de la lampe s'est inclinée. Divulgation des secrets. La vie et la mort complices des orgies guerrières. Les mains nouées dans le même acte de sorcellerie princière, enfermés dans le même hounfor, nous transpirons un mélange de sueur et de sang. Miroitements de tessons dans l'eau stagnante. Pierres lisses à la naissance des hautes sources. Le moulin des eaux nerveuses tourne jusqu'aux frontières gloutonnes de l'embouchure ; et les squales, déchirant la mer de leur scie menaçante, se lancent à nos trousses. Glissements, plongées, tours et détours, brasses et jeux de pieds. Le temps bruit. Faux mouvement de corps en guenilles sous la texture malingre de l'automne. Nous apprenons le métier de vivre en marchant à tâtons sur une corde tendue dans le vide, le cœur en équilibre sur la tête, une lampe nue dans nos mains tremblantes.

Ruse de matou maquillant la bouche du canon de bronze en trou de voix éteinte. L'hydrocèle s'enfle, se dilate à la limite du vide à combler, un lieu d'abîme et de pesanteur incommensurable où des corps difformes s'agitent dans un lourd sac de clous. Boitillement grotesque des zombis marchant et zigzaguant dans un vallon, suivis d'une affreuse bande de coupeurs de langues gesticulant dans un espace hérissé de lames tranchantes. La machine broyeuse d'os est mise en marche. Les bougonnements des condamnés font place au silence dans un crépuscule embrumé par les premières poussières de la nuit, tandis qu'un lecteur à cagoule lit la sentence à la lueur d'une chandelle. Puis, à la décharge fatale, un frémissement d'étoiles envahit le champ de tir en même temps que brillent des éclairs dans les yeux terrifiés du plus jeune des condamnés debout face à la mort.

Arrimage de cadavres ensanglantés suivant deux rangées. Ensuite, les bourreaux jettent les corps des zombis au milieu d'un brasier dévorant. L'incendie se propage à travers un immense champ de riz. Rage et torsion des jets de flammes. Des nuages de fumée aux reflets chatoyants lèchent le ventre de la lune ; un idiot joufflu suce son index, la tête levée vers le ciel. Des spectateurs affolés parlent simultanément en hurlant dans une totale confusion ; nous leur tournons le dos. Jouissant de leur puissance nocturne, les vlingbinding projettent de nous capturer à la corde. Jusque-là, nous avons su éviter les pièges grossiers et déjouer toutes les machinations. Depuis longtemps, nous apprenons à délier les nœuds qui nous serrent la gorge, à dénouer les lianes et les cordages qui nous immobilisent dans un lieu de fange et de pestilence, la tête à contreface, les yeux révulsés par les terreurs d'un jeu sans condition où il n'est jamais possible de reprendre souffle.

Nous œuvrons à toutes les saisons. D'avoir marché nuit et jour, sous le soleil, sous la pluie, nous avons la peau tannée, les talons racornis, les chevilles tuméfiées, les jambes engourdies, l'estomac ravagé par les griffes de la faim. Les jours passent, notre mal demeure (à peau lunaire). Nous nous baignons dans une infusion de feuilles vertes ; nous nous humectons le bout de la langue ; nous nous gargarisons d'eau fraîche au point d'or de la source, dans l'espoir d'une guérison. Le jour, nous parlons à voix basse. En présence de nos ennemis, nous communiquons discrètement par l'ambiguïté et le silence de nombreux vêvês indéchiffrables, nous chuchotons au creux de l'oreille, nous murmurons nos vérités secrètes d'une voix rauque et inintelligible. Pour chasser les malfinis et les fresaies de notre demeure, nous lançons des grains de sel sur le toit et nous disposons un balai, le manche renversé, derrière la porte de sortie. Ah ! Quels gestes de folie n'aurons-nous pas esquissés en cette nuit de peur ?

Le neuvième combat démarre sur un rythme époustouflant de coups d'éperon aux flancs déverrouillés de deux coqs au plumage ébouriffé. Hurlements et chaleur. Un amateur excité enlève sa chemise et ses chaussures ; puis il les lance au milieu de l'arène. Piétinement, boutons arrachés, affolement dans un coin où l'air se raréfie ; où l'atmosphère devient irrespirable. Une pintadine sautille, agressive, et plante ses ergots dans la gorge d'un coq déplumé. Charivari. Huées et vacarme. Jets de bouteilles et de pierres. Interruption du neuvième combat.

Frisson soudain sous les blessures du regard. Couteau, poignard, flèche empoisonnée et boomerang. L'apocalypse quand s'éveille par un désir de nuages explosifs l'insatiable cupidité d'un essaim rapace humant à toutes narines l'odeur rythmique des aubes tropicales délaissant les corps décrépits et les sexes décatis dans les lits vides où nous éprouvons de temps en temps des douleurs

articulaires. La fièvre saisonnière nous irrite les lèvres et la peau.
Dehors, notre cheval impatient ne cesse de hennir en tournant
autour du poteau d'attache, tandis que persistent les jappements
des chiens au bout du village. Derrière nous, l'essoufflement d'un
amour têtu. Par-delà l'étang, un glapissement de voix. Là-haut
s'étirent des filaments de nuages.

Chaque fois que nous regardons la mer, nous pensons au pou-
voir du sel. À suivre des yeux le déploiement des oiseaux migrateurs
en plein vol, notre cœur se resserre nostalgique. Pourrissement
du bois. Les feuilles se défraîchissent. Les fleurs se fanent sur les
branches. Les mangues surissent. Les racines des arbres se dessè-
chent. Malédictions et sortilèges. Une énigme née de la rencontre
de la foudre et du vent couve dans l'encouleuvrement des nuages
nouant de folles alliances entre l'eau et les ténèbres.

Notre sommeil est entrecoupé de visions macabres. Nous hur-
lons en proie à des cauchemars. À notre réveil, nous prenons des
purges amères. Faux espoirs. Poignards rouillés. Chair gangrenée.
Défilé de séquences carnavalesques. Nous avalons l'huile âcre de
l'échec. Poison foudroyant tétanisant nos muscles. Perforation des
intestins. Les zombis se dirigent lentement du côté des ombres ; ils
s'en vont lourdement, bercés par la sourde et molle musique de
leur âme à demi éteinte. Les étoiles toussent dans l'eau grise du
temps. Les branches de la lampe frissonnent. Nous recensons les
fenêtres ouvertes et les têtes coupées quand s'épuise le silence.

Zofer trancha la tête d'un zombi qui s'était baissé pour
ramasser une feuille sèche. Langue crachée hors de la bouche.
Une voix inconnue prolifère dans nos artères et transforme
notre corps en un lieu de mystères.

Aussitôt que l'amour aura crié notre nom, notre cœur
s'échappera de nos mains, réveillant toute sève endormie
dans les profondeurs de l'arbre. Préfiguration de clartés
durables, des coquilles d'astres se brisent dans la dérive infinie des abîmes, et de violentes lumières propagent leur cancer

de feu à travers les entrailles de la nuit. Ivresse de corps blessés à vif d'ombre. Bleuissement de cadavres parés d'une aura de mouches voraces. Les feuilles de l'arbre tantôt jaunissent, tantôt reverdissent sous les baguettes des pluies mêlées de soleil pâle. L'opacité du temps ajourne la moisson des fruits transparents et contrarie nos espoirs de fleurs vives.

Nos larmes surissent dans le miroir balafré multipliant nos grimaces. Rires tarés et sources taries. Nous percevons les grincements métalliques du soleil qui roule en roue libre sur un essieu de nuages rouillés. Puis, l'après-midi éclate dans l'amphithéâtre de l'île avec une soudaine turbulence et des éclaboussures de voix agressives. Explosion de lumière à la cime des montagnes. Nous recherchons notre ombre, les paupières dévorées par les dents du soleil, la chair grillée par des tenailles rougies au feu. Des mouches repues, les ailes repliées, somnolent, agglutinées sur une masse compacte de charognes. Copeaux de chair vive. Femme aux fesses d'assô-tor. Forêt nocturne où des bêtes échevelées s'entre-déchirent dans le feu de la débauche. Intestins tailladés jetés à des chiens affamés. Dégoupillage des viscères. Toutes les paroles d'amertume se consument dans les flammes intérieures par un vœu d'alliance et un brûlant désir d'hygiène. Le dévoilement des secrets antiques mange l'espace du mystère.

Des vers de terre dévastent nos champs. Des bêtes voraces se nourrissent de boue, lèchent le pus verdâtre des cadavres en décomposition, fouillent au creux des nombrils putréfiés, sucent le crachat des morts. Sombre prélart de la nuit exhalant une odeur de cimetière. Nous nous bouchons les narines. Les fossoyeurs se recueillent à genoux, humant la senteur des tombeaux ouverts. Nous chevauchons des cercueils, boumbas mouvants et frêles, roulis et tangage sur la mer démontée de coups d'éperon, avirons labourant les flancs de la cavale. Nous galopons beaucoup plus vite que les chevaux chauffés à la térébenthine. *Fleurs mutilées sous la ruée des sabots. Clameurs d'animaux sauvages. Cris de femmes suppliciées. Effusion de sang. Nous agitons des branches d'arbres, dans l'espoir insensé que nos gestes détourneraient la sorcellerie des mangeurs d'enfants. Nuages noyés dans l'eau des flaques. Méfions-nous des paroles lancées par les charmeurs de serpents et les prestidigitateurs. Un volcan rugit dans le ventre des avaleurs de flammes.*

Nos rêves s'envolent dans l'hémorragie crépusculaire vers un espace accablé d'oiseaux fous. Nous avons perdu la clef du voyage dans le lac nocturne. Comment sortir de l'asphyxie du sommeil et obtenir, à contre-tour des horloges brisées en pleine nuit, un éclatement d'aube dans un lâcher de lunes? Comment pénétrer le secret de la marche subtile des lézards parmi les tessons des vieux murs? Fausses pierreries jetées à pleines brassées dans la vapeur miroitante des déserts tristes de midi. Nous avons gaspillé notre temps à regarder les vieux serpents changer de peau, alors que de nouveaux astres s'allument aux épousailles du silence et de la nuit. Le châtreur rit, satisfait de son travail, euphorisé par le bruit de ses outils, couteaux, aiguilles, ciseaux et pinces, qui s'entrechoquent dans son sac. Et le vent, fou d'espace, continue sa course aveugle sur le sable des plages et les gradins des montagnes grises.

La cloche énigmatique en résonance avec le tourbillon des saisons dans le trébuchement des troupeaux en panique. Le rassemblement des eaux dévastatrices sous le pont de la nuit nous épouvante. La peur souveraine et insupportable dans le renversement de nos songes. Autant de menaces camouflées dans les pièges dragéifiés, les tourments, les haines, les démangeaisons de l'égoïsme, les irritations de l'or, jusqu'au massacre accablé de masques, où tant de douleurs passent par l'oubli infinitif, avant de se pétrifier, hors des écluses de la mémoire, sous la brume de l'âge mûr couleur de pluie. Triste silence aux mâchoires serrées. À l'ombre du crime, le témoin ne parlera pas. Et les hounsis ne chanteront plus pour rythmer la danse de la mort.

Pourritures aux commissures de nos lèvres. La douleur lance ses javelots ; agressive, elle investit les forteresses intérieures : elle nous brasse les tripes et les méninges. Mourir de déraison. Toutes les portes se referment. Ils nous acculent dans un réduit obscur ceinturé de barbelés, nous ravalent au niveau des bêtes de somme, pour pouvoir nous livrer au néant. Métamorphose et zombification. Pourquoi tiennent-ils à nous marquer au fer rouge, alors que leur machine nous a déjà écrabouillé la chair et les os ? Pour que nous ne soyons point tentés de parler au futur, ils ne reculent ni devant la stérilisation, ni devant la castration. Qui pis est, ils persécutent notre progéniture, n'épargnant même pas les nouveau-nés agressés, dès leurs premiers cris, par des escadrilles de mouches, de moustiques, de cafards et de bigailles. En fond sonore, la musique agaçante des maringouins. Une armée de bêtes répugnantes fait l'éloge de la nuit. Prenons garde que le mal des zombis ne déteigne sur nos enfants !

Les chaînes, les anneaux de fer, les boulets et les tribarts pour ne pas bouger aux heures où la machine coupe les jarrets et les cuisses / le moulin vomit du sang noir / le cœur meuble descend vers l'embouchure, s'engouffre sous les vagues / nous nous remuons / nos racines s'entrelacent / l'encre des pieuvres nous aveugle / nous entendons venir de loin les chevaux sauvages de nos rêves assaisonnés de vitriol ; nous nous empressons de grimper d'inaccessibles montagnes de lumière. Nous chevauchons nu-corps un nuage géant, filant à vive allure dans un ailleurs féerique où l'on pêche à toute saison des poissons aux écailles de perle rose, où l'on piège des oiseaux au plumage d'or. Les mains ouvertes, nous cueillons des étoiles aux lueurs violacées. Bouillonnant d'ardeur et d'impatience, nous plongeons dans le lit de la Sirène où nous palpons son corps hybride. Fuite nocturne sous les couteaux des ombres. Course impossible où nous perdons le sens de nos élans. Hors de la piste, nous nous exerçons à traduire le silence mûrissant de la solitude et de l'échec.

Remonter par les glissières du temps pur aux durs reflets de diamant / la fièvre anticipatrice / le fleuve charrie une kyrielle d'objets hétéroclites toutes sortes de débris / la mécanique détériorée / notre ombre triste / le vent draine d'insondables chiffres vers la mer / effondrement d'empire / dans le massacre des eaux bleues la contestation illusoire / dans l'arène Philogène a le visage crispé / tout un flux de mécontentements d'abord quelques bourdonnements ensuite des murmures puis des injures et enfin le scandale en feux croisés jusqu'à la brisure sanglante du miroir brûlé à la chaux vive / des souvenirs remodelés à nos goûts / nous ramassons les tessons éparpillés sur le sol / nous comptons les dents du monstre à la bouche mielleuse / ruse insurmontable terreur énigmatique des paroles entassées dans le mutisme des pierres / beaucoup de paris s'engagent tant que dure le dézafi / nous accordons nos douleurs aux battements de notre sang fouetté par les frétillements des papillons nocturnes affolés autour des lampes.

En proie au feu le faîtage craque laissant indifférente la femme assise sur des fesses valises pour un long séjour en enfer dans un appartement tapissé de flammes ramures en émergence lèvres crispées elle s'étiole dans l'inertie des vacances des culs cadenassés la prostration puis l'extase euphorique démolition de palissades / quelques filles se lamentent toutes nues dans des cages d'acier il leur pousse des oreilles d'âne une queue de singe une suite de gestes désespérés dans l'ombre / nos pensées s'embrument nous nous métamorphosons en bêtes difformes après l'écroulement de nos maisons la brutale crevaison du ciel il pleut à verse sur les charniers et se répercutent les accords plaqués hors des cérémonies crématoires / les tortionnaires se sont réveillés dans une ville déserte / les vampires ont sucé durant la longue nuit le sang de nos enfants / quand le soleil aura tiré la langue nous porterons nos rêves à bout de bras à travers les rues.

Grouillement dans la boue des marais oui ouan saison des avocats oui ouan saison des mangues oui ouan saison du maïs oui ouan saison du millet oui ouan saison de la canne à sucre oui ouan saison des captures à la corde oui ouan morte-saison oui ouan corps étendus dans un lit de barbelés oui ouan billets de banque essuie-cul oui ouan la défoucade éclitorisante oui ouan le chevrotement des voix au petit jour oui ouan la pluie la boue la poussière oui ouan le cycle de la faim oui ouan le calvaire et ses miracles oui ouan le calvaire et ses méandres oui ouan le calvaire et son vertige oui ouan le calvaire de l'attente oui ouan les poitrines enchaînées le cœur se vide oui ouan les mères se sont serré les entrailles l'éparpillement la solitude les larmes et dure le temps de lasigoâve pour que nos enfants n'oublient ni la légende des morts ni la douleur des vivants marqués par le deuil oui ouan oui ouan oui ouan.

Débordement du cancer en une apparition tardive en boucles et nœuds / la montagne d'ordures barre l'horizon / martèlement sur les terrains vagues où les immondices commencent à pourrir par suite de l'alternance de la pluie et du soleil / le vent souffle ; les vautours ouvrent leurs ailes ; les tourterelles s'envolent / bondissement et fuite d'un chat sauvage / ricanements de la lune au visage troué par la variole / une voix tonitruante énumère les viscères empilés derrière les étals des boucheries / une rangée d'étoiles suspendues aux fils de fer barbelés / poignards rouillés / trois cœurs crevés / dix-huit poumons déchiquetés / vingt cervelles écrabouillées / l'irrépressible violence de la dégringolade / nous avons rêvé de Tête-Sans-Corps ; nous tenons fermement nos couteaux par le manche.

Nous rassemblons nos connaissances guerrières dans les agitations du vent, tandis que s'entortillent nos amours au

confluent des heures gonflées de nuits blanches. Les hululements des hiboux nous rappellent que l'arbre a perdu ses
feuilles, ses fleurs, ses fruits et ses branches. Nous sommes
condamnés à errer à travers des chemins tristes et à franchir
des portes froides. À peine avions-nous fini de nous coiffer
qu'ils nous ont décoiffés. Ils nous ont tiré les cheveux ; ils
nous les ont arrachés. Les rues demeurent toutes sombres.
Nous ne finirons pas de nous repeigner de sitôt. Et si nos os
sont déjà broyés, pulvérisés, il n'y a aucun espoir qu'il nous
reste encore une goutte de sang dans les veines.

Dans l'attente de l'aube, nous fumons sans arrêt. Âcreté
de la langue naufragée dans le goudron du silence. À nos
lèvres, le tabac plus amer que du fiel, l'eau exécrablement plus
répugnante que la bave des pendus. Nous nous couchons tout
seuls, recroquevillés sur un amas de pierres. De la stridence
des cigales insomniaques, nous tirons de neuves leçons de
patience et de courage. Perdus dans la forêt obscure, nous
écoutons venir le vent. Seule la bourrasque nous ouvrira de
nouvelles routes. Nous avons pris rendez-vous avec les animaux qui vivent au fond des bois. Turgescence des mamelles
de la vache. Sur nos épaules se posent des libellules, des
papillons. Dans nos mains dorment des anolis. Autour de
nos jambes s'enroulent des serpents. Mais, le chemin s'obs-
curcit de plus en plus. Le ciel s'assombrit sous nos ongles.
Brise-Roche. Brise-Fer. Brise-Montagne. Les ailes du malfini se replient. Nous nous mettons debout. Nous marchons
sans relâche. Nous nous enfonçons dans les rivières où les
anguilles s'enfuient avec souplesse. Atteignant le littoral,
plongeant dans la mer, nageant sous l'eau, nous retrouvons
les secrets des conques marines. Nous avons pris rendez-vous
avec les animaux qui vivent dans les profondeurs aquatiques.

Mobilité des arbres dans le vent. Choc et clameur. Nous recon-
naissons les couleurs du ciel sur nos ongles. Ils peuvent ériger les

murailles les plus hautes : nos rêves enjambent tous les obstacles, franchissent toutes les distances, s'élèvent au-dessus des remparts. À chaque battement d'ailes, les femmes poussent des cris déchirants. Les rapaces et leurs ombres s'éloignent aussitôt. Revirement de voix. Qui sont les véritables auteurs du mal majeur ? Nous promenons notre langue dans tous les recoins de notre bouche. Pourquoi nos gencives saignent-elles ? Pourquoi nos dents surissent-elles ? En quoi serions-nous responsables du crime ? Nous ne sommes ni des instigateurs, ni des complices. Nous n'avons eu à préparer ni les armes, ni les appâts. Nous vivons au rancart, dans le dénuement le plus complet, sous un amoncellement de paille. Quand s'éteignent les lampes, à tâtons nous partons rechercher nos yeux morts en maudissant les dieux au corps inachevé.

Des grappes de fumée s'élèvent à l'autre versant de nos clôtures. Chaque jour, nos voisins mettent le pot au feu : et nous percevons le grésillement de la viande dans l'huile brûlante. Depuis longtemps, nous avons les tripes encordées de sept nœuds par la faim. Qui donc aurait participé à l'insolite festin ? Qui aurait délibérément massacré les enfants du voisinage pour ensuite se nourrir de leur chair ? Après maintes réflexions, nous nous souvenons quelque peu... Nous nous souvenons de l'aiguisage des rasoirs sur la meule, du cliquetis des poignards et des machettes, des relents de boucherie, des puanteurs de la mort. Nous arpentons les rues, les corridors, les ruelles, dans tous les sens. Un régiment de chiens squelettiques s'affrontent sur un monticule d'immondices.

Il pleut. Des entremêlements de tripes et de déchets descendent vers la mer. Paniers troués. Cuvettes crevées. Fils de fer rouillés. Retailles de tissus. Morceaux de haillons. Marmites cabossées. Pots de chambre sans fond. Cadavres de chiens. Pieds de chaises. Paillassons pourris. Semelles usées. Empeignes déchirées. Chapeaux racornis. Culs de bouteilles. Le lendemain, très tôt à l'aube, des spécialistes en bricolage, des ferblantiers, des fabricants de réchauds à charbon de bois, des vendeurs de mélimélocamelotes cherchent fiévreusement dans la masse incalculable d'objets hétéroclites échoués dans les ravins, dans les rigoles et sur les trottoirs. Des gosses en guenilles se chamaillent dans les égouts pour des fragments de tôle et des morceaux de carton dégringolant à la dérive dans l'eau boueuse. Culs de bouteilles, débris de verre, clous et tessons. De quelle côté penche la balance ?

Attirés par les saillies des fesses, le parfum des aisselles, la fente charnue, ils rampent en haletant sans se soucier de notre présence. Enivrés de sexe et d'or, ils sacrifient nos enfants aux pieds de leurs maîtresses dévêtues. Seins fragiles balayés par des cris de fauves. Ils oublient l'appartenance du sang bu dans les lits aveugles ; et ils nous persécutent impunément. Or, nous n'avons nulle intention d'aller ailleurs. Un brasier nous brûle la plante des pieds. Carnage au fond du cœur. Nous regardons un navire appareiller. Les panaches de fumée sur la mer nous attirent. À pas précipités, nous nous dirigeons vers le port, butant sur les arêtes des pierres. Nous réfléchissons un instant. Déchirures sous nos vêtements. Nous versons du sel pulvérisé sur nos jambes blessées. Puis, nous poursuivons jusqu'aux approches des grandes vagues échevelées venues de loin. En proie à la soif abrasive, nous avons la bouche sèche et la gorge en feu. Nous nous désaltérons dans des puits improvisés dans le sable. Vannant des cailloux, des gravats, des grains de poussière et des crachats d'étoiles sous la brillance laiteuse de la lune en partance, nous ne pouvons guère mesurer le poids de nos âges. Dehors et en nous déambulent des dragons et des fantômes menaçants. Or, nous n'avons nulle intention d'aller ailleurs, même si nous bâillons de faim, de peur et d'impatience.

Lointaine forêt en un débobinage de tripes de nerfs et de veines / dessus le sable de l'asphyxie le poison de l'ennui / entre les lianes l'égarement des oiseaux drogués soûlés de fleurs / une étrange odeur chatouille notre mémoire / présage de soleil bleuté d'ailes caraïbes / par une usure de vieille date nous bougeons lourdement avec nos chaînes nos maladies et nos hontes / la barbarie des orties l'orphelinat des ombres invertébrées sur les parois de la caverne le cinéma des joies imaginaires / le jour pâlit dans le labyrinthe où les corps exsangues mangent leur faible part de lumière pour la lecture impossible et l'indéchiffrable ambiguïté / nous savourons le nectar de nos folies dans les végétations terminales du miroir prophétique / aucune prémonition ne saurait nous ébranler à l'issue de tant de massacres alors que les zombis se recueillent à genoux devant le sacrificateur qui garde les yeux fermés en humant la fumée de l'encens.

L'araignée cousue d'or se fige à l'envers de sa toile de lumière tissant l'absence en un navire poudroyant de silence / dans l'été vif la révision des pluies mûres l'éparpillement de l'amour à manteau d'ombre / nous habitons nos paroles / hors des masques le travail patient des insectes / nous déchiffrons les signes de la forêt et le ballet des paysages sonores / chevaux sauvages mâchoires d'âne montagnes érodées savanes brûlées morues infectes / déluge / la saison des averses se prolonge par les voix barbaresques de la colère et du sang / moisissure et champignons arrachés des troncs morts / les champs de millet n'ont pas fleuri / le maïs n'a pas bourgeonné / le vent a conquis les montagnes les vallées les plaines et la mer / nous nous débarrassons de nos vieux vêtements en riant de la sorcière aux seins blets.

Dans le voisinage, les chiens hurlent à la mort. Comment offrir de l'eau et du clairin à des loas assoiffés de sang ? Le cercle est tracé dans l'arène pour un jeu difficile à débroussailler. Nous avons godillé en vain. Perles et cristaux de sueur sous nos aisselles. Des chevaux sauvages piaffent au fond de nous. Éparpillement de cendre. La poussière de nos rêves embrume notre vision. Pleine

faim qui nous ramène vers les pôles des désirs sans voix. La lune
est tiède sur nos paupières. Nous récupérons des souvenirs qui
ne reviennent que la nuit lorsque les glaives de la solitude nous
pénètrent jusqu'aux os. Au moment où le monstre idiot cherche
une arme tranchante pour découper la chair utopique d'une proie
fugace, l'instant n'est plus. Attentifs à l'espace dans lequel s'insère
le temps, nous changeons sans cesse de place. Nos lèvres brûlées de
fièvre projettent la terreur des mots, quand l'amour épuisé par des
ombres vampires nous tourne le dos. L'équipage de la mort se met
en branle. Éclosion de foudre. Le ciel se débonde. Les mâchoires
du dragon grincent de quarante-quatre rangées de dents. Tours
et détours pour l'accouplement dans les ténèbres. Danse et contre-
danse. Mais, sur quel pied devrions-nous danser à cet entrecroi-
sement de routes ? Désormais nous n'accréditerons plus les fausses
joies qui s'éventrent sur les crocs de la mémoire à vocation de sui-
cide. Les dévoreurs d'âmes ont promis nos corps à leurs corbeaux,
et nos sexes à leurs maîtresses.

Nous nous taisons, pendant que se dissolvent trois poignées de sel dans un chaudron d'eau bouillante. Le temps
connaît le secret de nos silences et nous dévore. Nous n'espérons aucun miracle, sinon que la parole traverse le désert et
retrouve le monde des vivants. Pierres des ruines à l'intérieur
desquelles couvent nos douleurs. Bouche ouvrière d'ombres.
Fourvoyés dans une forêt, nous cherchons nos racines dans
la dispersion des orages et les fausses ellipses du serpent hors
de la lumière. Loin de la source, le chemin respire mal par
des poumons empoussiérés. Exercice d'oubli. Les zombis
s'enlisent doucement dans la vacuité voluptueuse de l'impuissance ; et nous comptons les années qui s'effilochent sous
nos doigts.
Le corps d'un zombi pendu à une traverse du péristyle se
balance, et le faîtage craque. L'éclair et sa puissance attrac-
tive. Pillage et dévastation.

Ils ont déposé des objets maléfiques devant les portes de nos maisons ; ils ont versé de la poudre sympathique dans nos mets avec l'illusion de nous envoûter. Carmeleau et Philogène communiquent par des chuchotements dans un coin de l'arène, au moment où s'affrontent deux coqs de race dans un échange de coups violents aux salières. Vives clameurs. Jeu d'éperons oppressant soudain notre cœur.

Murmures de vivre et de mourir rassemblés inlassablement en un même lieu de pénombre où toutes les routes s'embrouillent à pleine distance de nos lèvres et de nos bras. Tout le poids du possible en un point de pause pour le retour ou pour la marche. Et le pouvoir de vaincre s'affirme dans l'affinement du regard et la tension du poing. Cassant le rythme des ténèbres, nous surprenons la nuit en son lit d'abîme et nous plongeons nos yeux dans la science des profondeurs, nos mains dans la lianerie des racines. Puis, nous nous lavons le visage dans l'eau du savoir, percevant déjà la musique approximative d'une aube lointaine. Et le feu s'apprête à délivrer le sang de sa froideur, libérant du même coup toute la machinerie des désirs pour une moisson de flammes.

Tant d'heures / revenir tenter l'ultime expérience / l'hébétude de Gédéon / la poitrine haletante / la maison délabrée / le jouet de la maladie / la duperie / un dernier geste de contrôle / le corps a perdu le sens de l'équilibre dans un espace contracté / la même atmosphère de complicité / le tête-à-tête / Rita passe des heures entières auprès du lit de Gédéon / le jaillissement de l'angoisse / les reptations silencieuses de la peur et les souvenirs d'une enfance lointaine exaltée jusqu'au délire en un recul où revient toujours le même visage / la danse tremblotante des fesses nues / simagrées à l'intérieur de la gallière / une masse de chair superflue provoquant une véritable tempête dans l'arène / puis arrive la saison des festivités / pourtant règne un climat de malaise né

des fausses réconciliations succédant à la rage des combats /
la violence aveugle / les manœuvres déloyales / et l'inconscience de la vache à l'abattoir.

D'étranges lueurs dans les champs de riz / un tremblement bizarre dans la voix / une charge d'horreurs / le village
de Bois-Neuf vit prostré dans la terreur / claquement des
cymbales de l'orage avec dents et griffes d'un rêve affreux /
les tambours zobop s'accordent dans la nuit / Saintil conduit
une file de sept zombis hors du cimetière de Ravine-Sèche
après une patiente et laborieuse exploration de tombes / par
des couloirs, des sentiers déserts, la marche de l'épouvante où
le moindre balancement de feuilles devient suspect / à travers
une éclaircie la fuite sèche d'une bête aux abois / la mystérieuse migration vers le point de non-retour / vêtements
en lambeaux / le corps couvert de poussière / la symphonie
nasillante oui ouan oui ouan oui ouan / les gifles les coups
de trique le baptême l'initiation à la mort lente / et seul le
zombi qui aurait la chance de goûter du sel deviendrait un
bois-nouveau.

*Succédant au silence des ruines, la rumeur croît par les brèches
et les béances. Échafaudage pour la vie en un passionnant combat
jusqu'au chamboulement désembourbant nos corps. Et nos gestes,
aux prises avec la mort, gardent leur sève et leur fécondité, encore
que les coups de pattes de la douleur nous ébranlent. Éparpillement
de plumes. Arrachement de crêtes. Nous avons misé sur un coq fougueux. Excités par la jalousie aveugle, ils ont fermé la porte à clef.
Nous introduisons nos doigts dans les moindres fentes, insinuant
nos paroles par les cassures de l'âme qui saigne. Et nos blessures
bourgeonnent de clartés illuminant le trou de la serrure. Nous
étions difformes ; la lumière a dégauchi nos corps.*

*Les étoiles excentriques rompent leurs amarres et vont choir
dans le vertige des abîmes jusqu'aux bords ignorés de lointains îlots
imaginaires. Nous recherchons le point d'impact et de complicité*

pour rehausser la fête initiatrice. Vœux de retrouvailles et de grossesse. Nos cris surplombent le silence des pierres, la pureté du diamant, la virginité du cristal. Toute paresse s'anéantit dans la floraison de nouveaux bras et l'élan de la colère mûrie à l'ancrage des brasiers. La terre éventrée rampe vers la source femelle. Dans nos songes, de puissantes hanches s'infléchissent vers les premières braises de l'aurore, bien que la nuit ne se hâte nullement de mourir. Sans relâche, nous préparons notre réveil dans l'austérité et la pure tradition des rêveurs somnambules de haute race, en cueillant les étoiles avec nos dents.

La flamme de la bougie clignote : notre ombre esquisse une danse bouffonne. Il bruine. Déchirures de nuages et crachats de lune. Nous découvrons les nervures de la lumière dans chaque gouttelette d'eau. La mémoire pourrie de plaies, nous n'avons pas encore les yeux bien ouverts. Cendre vive semée à l'intérieur du crâne. Effervescence, bouillonnements et contorsions. La saison s'embourbe dans le difficile à vivre. Un chien borgne, incliné sur sa queue, aboie de faim. Nous continuons à marcher, cachés derrière notre visage, changeant de temps en temps d'ombre et de masque. Un soleil albinos cligne des paupières. Le mapou s'effeuille et Gédéon tousse interminablement, glissant lentement dans le sombre entonnoir de la mort.

Vent vadrouilleur. Vent de la dérive. Il souffle un vent violent qui vanne la poussière au visage des vivants. Confusion et désarroi dans le décryptage des rêves. Et quand revient le jour, la douleur nous travaille sous un soleil vitriolant. Au fond de nous tourbillonne une nuée d'oiseaux fous. Nous avalons des semences d'orage en léchant le tranchant des éclairs. Jeu de crocs et de griffes. La main qui frappe se dissimule sous l'étal. Les gloutons traînent l'innocente vache à l'abattoir, ils lui arrachent les cornes, les sabots, la queue, les dents et les mamelles. Avec rage, ils écorchent vif l'infortuné bovin, lui ouvrent les entrailles. À leur grande déconvenue, d'autres mangeurs, confortablement installés, le visage barbouillé de lymphe, les mains souillées de sang, découpent les dernières portions de viande, achevant de dévorer de l'intérieur la trop candide et généreuse vache.

Croissance de lumière odorante en un bourdonnement de nuages phtisiques s'entrelaçant et toussant / prisonniers dans une maison de santé avec vue sur la mort traversée de vent porteur de sang, comment pourrions-nous oublier tout le mal qu'ils nous ont fait ? / le silence essaime / des nuages chétifs s'entremêlent / nos geôliers embusqués derrière les portes de nos cachots / la turbulence des gosses tirant sur la corde pourrie / et le rat musicien excelle à charmer le baka étendu sur le dos dans son palais de pierres phosphorescentes / notre sang roule à mille tours dans nos veines / le tambour gronde entre nos jambes / la bagarre des ombres autour de la lampe aveugle / telle une éclaboussure la flamme brûle les chardons nocturnes / le vent s'applique à sécher la sueur sanguinolente d'une lune moribonde dans un espace de nul retour.

Ensemencement sous les genoux pliés la tête enfoncée dans l'oreiller le hasard des lignes fugaces parcourant le faux relief d'un corps impalpable Sultana traîne son regard sur le plafond du hounfor les plis du drap s'enroulent autour de ses jambes nues vision trouble de la rêverie et de la conscience tronçonnée flairant à chaque jaillissement de l'éclair l'instant du passage de l'amour sur le pont branlant de la mort aux dures mâchoires où les cauchemars se dévoilent par les culs crevés défoncés déchiffrés de la nuit saccagée de spasmes la grande foulée la traversée des immensités ténébreuses avec bruits de tonnerre et jets de vomissement rythmant les glissements de biais sur les chemins lourds de l'insomnie.

Crise de sanglots précédant l'effritement des os / les papillons jouent à la marelle sur les héliotropes / tout le fatras des visions sous lequel sont dissimulés des kilogrammes d'excréments enveloppés dans du papier doré / emballage de luxe pour rendre la marchandise attrayante / des grognements de porc sous les mousses de la mémoire / toute la géométrie du vide s'aligne dans leurs paroles / derrière les rideaux du vent les débris des échos morts / l'inanité des lèvres et des utérus inféconds sous la tentation et les rugissements du sexe / nous découvrons l'irritation morbide des muqueuses d'un vagin dilaté outre mesure bavant, écumant, la bête bavarde sous le vif éclairage d'un projecteur. Fronçant les sourcils, le gynécologue plonge sa main gantée dans le labyrinthe ensanglanté, brasse, gratte, fouille et arrache un volumineux fibrome de quinze livres; à la fin de l'intervention chirurgicale, le médecin l'air abattu laisse tomber d'une voix brouillée le diagnostic du doute, de la surprise, du désespoir, du coup de massue, de la mort étalée sur plusieurs générations, la bouleversante hypothèse des erreurs et des dettes collectives basée sur l'inéluctable revanche de l'Histoire : si l'animal offert en holocauste est inhumé les quatre pattes en l'air c'est-à-dire sur le dos, la femme dont nous percevons souvent la voix ne pourra pas enfanter de sitôt, elle vivra persécutée par de puissants ennemis étrangers, méprisée, humiliée au sein de sa propre famille, mais tout le village en subira la malédiction pendant longtemps tant que persisteront le mythe et ses traumatismes jusqu'au jour où conscience sera prise de l'inutilité du sacrifice de la bête avec la certitude que notre sang suffit à rendre viable toute naissance hors des chemins de la servitude, de l'égoisme, de la folie, loin du pourrissement des eaux sacrificielles.

Ils ont laissé traîner les clés des portes élargissant ainsi le champ des pièges. Au bord de l'étang, un caïman ouvre une bouche affreuse à l'intérieur de laquelle viennent transiter des centaines de mouches dans leur voyage vers l'engloutissement. Le serpent, travesti en courtisane, tantôt sautille sur la pointe de la queue, tantôt se roule par terre. Inconscients du danger, nous nous fourvoyons dans les fioritures galantes, nous nous égarons dans de vaines confidences au tuyau de l'oreille. Concupiscence et vertige. Les yeux écarquillés à travers l'entrebâillement d'une fenêtre, nous regardons un défilé de carnaval érotique, éprouvant une horrible sensation de glissement dans une masse de chair molle. Fuite et grouillements d'invertébrés. Pourtant, la vie frappe à nos portes intérieures.

Nous avons longé tous les corridors de la faim par l'entortillement inextricable des tripes. Sur nos lèvres contrariées, les plis du doute. Autour du cou, la corde tressée de mort lente. Sous le brusque démarrage du vent, nous renversons nos rêves en cours. Là où les lumières et les sons butent contre nos corps, la peur s'amoindrit et nous dénouons nos liens avec nos dents à l'approche de l'aube quand les fanfares des coqs raturent les derniers silences de la nuit. Pourtant, le jour revient avec les interrogations de la veille, l'irritation des questions sans réponse, l'âpreté du grand-goût jusque-là insoluble, les ruminations en plongée solitaire, le resserrement des nœuds du suicide, les caillots de sang à la gorge, les indéchiffrables graffiti des désirs refoulés en arrière des yeux. Et nous nous réveillons obsédés par un refrain de ronde enfantine : — La lune et le soleil dansent nus. Lequel des deux paraît plus beau ? Lequel des deux préférons-nous ? — Chanson de clair de lune. Chanson de triste guerre. Errance quotidienne sous la mitraille du soleil. Mais, le pain manque chaque jour. La faim élargit l'espace de la douleur. Les gamins s'amusent, fascinés par les extravagances lumineuses des astres. Les adultes s'inquiètent, angoissés par les temps incertains, remâchant les souvenirs lointains de leur enfance insouciante.

Nuit courbe par dérèglement de nos mains ajustant la flamme de la lampe. Les antennes de nos doigts bougent dans l'attente d'un message tactile, un frôlement fortuit à pouvoir mesurer le poids et la distance de nos rêves. Et le cœur, oiseau fragile, retrouve sa route hors de la paralysie du doute, délaissant la trajectoire en zigzag de l'égarement. L'impatience en un voyage d'insectes fous à travers nos nerfs survoltés, gardant intactes la puissance massive du poing dressé et l'éloquence de la lame libérée de sa gaine,

*cassant la pierre habitée par le désir. Devenir à la fois bouche et
sexe angulaires avec jaillissement de braises, cautérisant pourritures et plaies, fécondant chaque parole. Et la forêt amplifie la
marche des arbres dans le sens de nos gestes.*

*Ils ont parqué des milliers de zombis dans des cellules exiguës
privées de tout système d'éclairage et d'aération. Personne n'ose
élever la voix. Les rescapés, immobilisés par la peur, font semblant
de ne pas entendre les cris d'appel au secours des mourants. Saison
de soufre, d'acide et de griffes. Les rares survivants, intoxiqués
jusqu'aux os par la méfiance, acclimatés aux ténèbres, craignent
les morsures de l'aube et les brûlures du soleil. Les accapareurs de
terres ont détourné le cours des sources loin de nos champs. Devant
les portes de nos maisons, des excréments de vaches s'entassent,
boursouflés, répugnants, secs à la surface, pâteux en profondeur,
apparemment inoffensifs, au fond très dangereux. Dans la poussière des sentiers, les urines des chevaux moussent abondamment.
Des cadavres de rats coiffent des piles d'immondices. Il nous
faudra nettoyer nos jardins et notre âme, et briser le cercle de la
mémoire prise au piège de la nuit.*

Nous fuyons vers la zone instable entre la naissance et la
mort sous un amas d'objets fétiches pointus et tranchants.
Nos bourreaux, assourdis par le bruit des armes, n'entendent
point nos hurlements ; ils rient de nos grimaces, en fouillant
nos cicatrices et nos blessures. Surgissement de la peur marécageuse dans l'espace où travaillent les zombis. Une forma-
tion d'oiseaux approche, décrit un cercle au-dessus de nos
têtes, puis disparaît. Quelques nuages, suggérant les formes
les plus abracadabrantes, s'engouffrent lentement à l'horizon. Zofer frappe Clodonis plusieurs fois aux épaules et à la
nuque. Secoués de frissons, à peine pouvons-nous détacher
nos pieds du sol. Ils ont dressé de hautes murailles pour arrêter la lumière et barrer nos voix. Ailes suspendues en porte-
à-faux. Ombres blessées. Nous saisissons l'éclair avec nos

dents. Les rapaces, malfinis et chouettes, virevoltent avant de s'enfuir au fond des bois.

Ils s'écartent des ronces, pénètrent en voyeurs dans les jardins marécageux où vivent quelques zombis cachés derrière un épais buisson. Philogène et Carmeleau jettent un profond regard sur l'étang de Bois-Neuf avant de s'éloigner en direction de la voie ferrée. Cri des yeux traversant les entrailles de la nuit, brisant le miroir embué de caillots de silence. Obscurité du combat contre la mort et ses stratagèmes. Nous flottons dans une enveloppe de fumée aveuglante que ne dissipent point les vaksines du vent et de l'orage. Il pleut à Ravine-Sèche ; le cyclone tourbillonne dans la crique. Combien de brasses pour franchir de biais la rivière en crue ? Les avalasses charrient des immondices, des tiges de bananier, des cadavres d'animaux, des troncs d'arbres, des galets. Des masses de boue s'accumulent partout dans le village. Demain, nous retracerons les limites de nos terres. Nourritures. Pourritures. Et fantasmagorie.

Bruit au fond de l'eau pour réveiller les consciences. Illumination pour chasser les oiseaux maléfiques. Sur le sol imbibé de vinaigre, nous voyageons, pieds nus ; même les traînards accélèrent leur allure. Nous marchons, toute la nuit, jusqu'à l'aube. Et bourgeonnent les gencives du soleil, dévorant, dans un éclat de rire, les branches des étoiles de mauvais augure, débarrassant nos rêves d'un cortège de maux : flux de miasmes, plaques et pourritures cancéreuses, moisissures de lèpre, chiffres enchevêtrés dans les mailles du hasard. Dans les rues, sur les places publiques, des tournoiements de vent soulèvent les jupes des femmes jusqu'aux hanches. Gardons-nous de maudire l'indécence des tempêtes qui mettrait à nu les régions intimes du corps.

Éblouissant passage devant le poteau d'exécution à tête de chien / totem de la mort / bras ouverts au-dessus d'un déversoir le meurtrier opère dans les coulisses oui ouan nous percevons dans la trame de nos rêves les nasillements des zombis forçant contre le couvercle des cercueils de bois oui ouan céder ensuite au sommeil oui ouan de malsaines excroissances se collent à nos nombrils pourris oui ouan un mur sans écho mange nos voix oui ouan attirés vers les profondeurs interdites de la mémoire nous demeurons paralysés dans nos désirs oui ouan et se poursuit le maquillage des zombis manipulés à la corde pour un carnaval de pantins oui ouan oui ouan oui ouan.

Une meute de carnassiers tambourine contre nos portes en pleine nuit. Arrachement, éparpillement, massacre. Hurlements de femmes éventrées. Entassement de chair sanglante. Les bourreaux et les complices du carnage, après avoir désinfecté hâtivement les corps de leurs victimes au chlorure de chaux, précipitent tous les cadavres dans un immense trou creusé sous un bayahonde au bord de la mer : puis, ils dissimulent le charnier sous une jonchée de jasmins, de camélias, de cretonnes et de coraux. Mais, quoi qu'ils fassent, les pourritures, mêlées au parfum des fleurs, attirent des nuées de charognards voyageant en roue libre dans le vent de la mort et faisant fuir d'innombrables oiseaux pacifiques. Pourtant, un rossignol chante quelque part ; le soleil va se lever, dit-on. Toujours s'agira-t-il de saisir dans l'agressive clarté l'oiseau paniqué par son propre cri et de retrouver la faille de lumière à chaque battement d'ailes.

L'épidémie zombificatrice se répand. Au bout de l'interrogatoire absurde, la tête s'embrouille de peur et le cœur se fige dans le silence.

— Décline ta complète identité.

— Je m'appelle Jérôme. J'ai vingt-quatre ans. Je suis étudiant. J'aime la vie, le soleil, la paix. Je déteste la mort, les ténèbres, le mensonge. Et, je m'attache à ma terre, de toutes mes forces.

— Tu mens, petit opposant ! Tu n'es qu'un anarchiste, un vulgaire terroriste ! Tu refuses d'avouer ton crime.

— Lequel ?

— Ta gueule ! C'est à moi de poser les questions. Et à toi de répondre sans détours. Quel est ton nom ?

— Je m'appelle Jérôme.

— Quelle est ta profession ?

— Je ne travaille pas. Je suis étudiant.

— Menteur ! Il faut répondre : je suis un anarchiste, je suis un terroriste, je suis un ennemi du Pouvoir ! Réponds !

— Je m'appelle Jérôme. Je suis un étudiant. Je déteste le mensonge. Et, je m'attache à ma terre, de toutes mes forces.

Et, peut-être pour la trentième fois, Jérôme reçoit un déluge de coups de matraque, de coups de pied, de coups de poing, auxquels viennent s'ajouter d'autres formes de violences, d'autres tortures de plus en plus insoutenables, au fur et à mesure que s'aiguise la rage des tortionnaires et que s'épuise la patience de l'inquisiteur.

— Que font tes parents pour pouvoir payer tes études ?

— Mon père rafistole de vieilles chaussures. Ma mère est une revendeuse ambulante de coupons et de pacotille.

— Menteur sans vergogne ! Ton père, un ivrogne pédéraste ! Ta mère, une prostituée des trottoirs !

Et l'inquisiteur passe en revue toutes les techniques, toutes les expériences accumulées dans les chambres de torture, pour parvenir à briser l'âme de sa victime.

— Dis tout ce que tu sais de la trame du vent, de l'eau et du feu à travers les jointures de la nuit.

— Mais, je n'en sais rien.

— Parle, et tu pourras te reposer dans un bon lit douillet, hors de la cellule grouillante de punaises et de poux.

— Je ne sais rien.

— Dévoile le complot, et tu pourras apaiser ta soif, te laver le visage, te nettoyer le corps avec de l'eau fraîche.

— Je ne sais rien.

— Dénonce tes camarades, et tu pourras manger à ton goût.

— Je ne sais rien.

— Donne les noms de tes complices, et tu auras la vie sauve.

— Je ne sais rien.

— Toi, comment tu t'appelles ?

— Je m'appelle Jérôme ?

— Quel métier exerces-tu ?

— Je ne travaille pas. Je suis étudiant.

Gifles. Coups de pied. Coups de poing. Coups de bâton à la nuque. Aiguilles enfoncées sous les ongles. Cris. Gémissements. Hurlements.

— À qui as-tu serré la main avant-hier dans la rue, près du Portail Saint-Joseph, alors qu'il commençait à pleuvoir ?

— À personne.

— À qui as-tu parlé sous la pluie, avant-hier, à la bruine du soir ?

— Je ne sors jamais quand il pleut.

— Pourquoi ?

— À cause des avalasses et de la boue.

— Donc, tu détestes la pluie, la boue, les rues, la ville et la patrie entière, alors que tu prétends aimer ton pays, de toutes tes forces. Vilain petit menteur ! Tu vas parler ! Tu vas avouer tes crimes ! Je vais te broyer les os. Réponds que tu es un anarchiste, un terroriste, un ennemi du Pouvoir, un communiste !

Nouvelles tortures. Tibia brisé. Tympan crevé. Péritoine transpercé. À bout de forces, Jérôme ne sent même pas les coups qui lui meurtrissent la chair. À demi-inconscient, il continue de répéter :

— Je ne sais rien... je ne sais rien... je ne sais rien...

Le hache-viande fonctionne sans bruit. Comment saisir le sens sauvage du silence peuplé de visions sanglantes ? Éparpillées, nos voix cherchent un lieu de regroupement hors de la poussière du doute, loin de l'acoustique trompeuse des échos désincarnés. Trébuchant contre les corps des oiseaux morts, nous crachons de

dépit sur les masques nés de la fausse neutralité du miroir exsan-
gue. Nous nous éloignons des marais bourbeux de l'inertie, mar-
chant vers la transparence exorcisante de l'aube où l'inachève-
ment de la nuit se transforme peu à peu en feu mûrissant sous la
cendre des cauchemars, où la flamme vive modifie les pierres les
plus rebelles, où le soleil incendiaire brûle les vestiges des divinités
jadis infaillibles. Nous voyageons vers la fête, loin des souillures de
l'été sanglant, sur un fleuve luisant en sa mobilité, fascinés par la
beauté des femmes qui se dévêtent aux angles crus de la lumière.
Déjà, nous dansons le nago du réveil.

Très tard la nuit, Saintil s'agite à l'intérieur du hounfor,
avant de se rendre au cimetière de Bois-Neuf.

— Zofer ! Avez-vous déjà égorgé le mouton ?

— Oui, chef. Vous m'avez toujours enseigné que le sang doit
couler au décours de la lune.

— Avez-vous mis le cœur et la langue du sacrifié dans une
assiette blanche ?

— Oui, chef.

— Avez-vous pulvérisé les os du crâne ?

— Oui, chef.

— Apportez-moi la pommade composée avec la cervelle du
nouveau-né.

— Tout de suite, chef.

— Je vais me graisser le visage et les mains avec l'huile de
la mort. Je franchirai le portail du palais de Baron Samedi, à
minuit sonnant. Je reviendrai avec un attelage de quatre zombis.
Apprêtez le fouet, les couis et les chabraques. Et, surveillez la
maison pendant mon absence.

— Soyez sans inquiétude, chef.

Zofer se retire dans la cour, tirant sur la corde d'un bouc géant
à trois cornes. Sultana s'approche de Saintil, le visage triste et
blême, les yeux lointains. Torturé par le doute, son père lui parle
d'une voix légèrement teintée par les tourments de l'incertitude.

— Sultana, serais-tu malade ?

— Non, papa.

— Si les travaux de la journée t'ont brisé le corps, pourquoi ne pas te reposer, ma fille ?

— Je ne suis pas fatiguée, papa.

— Alors, sais-tu dans quel sens tourner la manivelle pour cueillir les étoiles englouties dans le puits du temps ?

— Oui, papa... J'allumerai quatre chandelles autour du poteau-mitan. Je déposerai à l'entrée principale du péristyle la machette, le mouchoir rouge et le bâton à sept nœuds. Puis, j'attendrai ton retour pour la cérémonie.

— Très bien, ma fille, mon assistante et ma reine !

La foudre change de piste dans le dégel des rêves aux couteaux bleus, tel un vol de vampires longilignes émigrant vers les blessures des arbres qui saignent la nuit. Mystères enracinés dans les profondeurs d'une terre nourrie d'acide et de lait. Difficile révélation sur les fiançailles secrètes du savoir patient et de la vengeance femelle. Lenteur devenue force consciente de l'écaillement des caillots séchés hors des artères de la mémoire. L'abîme mange la clarté du regard. Nous n'assouvirons vraiment nos mâles désirs qu'en crevant les yeux des dieux jaloux. Toute soif excoriant la peau des lézards, des reptiles et des bêtes en rut, pour un apaisement de nos lèvres. La femme en pleine ceinture, au risque d'une fausse couche, danse sur un rythme effréné dans la fosse ardente. Anxieux au bord des gouffres, nous anticipons sur la viabilité et le sexe de l'enfant.

Nos bras s'élèvent à rase branche au frémissement de l'arbre ; et nous entrons dans la forêt sans attendre la caution du Maître des grands bois. Jeu de cornes autour des hanches du chasseur. Au fond de la vieille cour habituellement déserte, des voyageurs harassés se dépêtrent à la recherche d'une éclaircie. Enchevêtrement de fantasmes masquant les failles et les fêlures d'où s'évapore l'âme de la terre. Les pierres éclatent dans la gradation des heures chauffées à blanc. Blessures et bosselures. Mains livrées à l'incendie du sel pour rehausser la prophétie du sang, débarrasser l'île entière des fumées de l'inconscience et des sables de l'épouvante.

Sans désavouer le vent, reconnaissons qu'il reste encore beaucoup à dire du bouc drogué égaré parmi les flammes du sacrifice, les pattes suspendues entre la gorge des mangeurs gloutons et les chiffres de la métamorphose. Nos enfants ne mâcheront plus les algues amères de la faim : ils ne suivront pas non plus les itinéraires peuplés de silence. Battements de pieds et de mains pour un lever de musique explosive. Éruption d'étoiles et tournoiement de braises. Nous laverons nos têtes enléprées par les suies de l'amnésie, recyclant tout d'un coup nos souvenirs à fleur de ciel sans nous départir des offrandes de la terre, aspirant des bouffées d'air aptes à dissoudre l'embolie des saisons hantées par le crime, souhaitant la fécondation des plages par le scandale des marées hautes, voyageant dans les chemins creusés par l'orage, les paumes tournées vers la lumière.

Pendant longtemps, nous avons mal courtisé l'espoir, contaminés par des bestioles virevoltant autour de la détresse des croix. La joie s'est effritée derrière le refus des dents serrées. La crispation des mâchoires. Le deuil des mauves crépuscules. Nous avons l'habitude de côtoyer les abîmes et de lécher les flèches empoisonnées, sans éprouver de malaise. Fanure et dessèchement des fragiles baguettes léguées par un chef d'orchestre moribond. La musique boitille ; et les idolâtres bouffons dansent en applaudissant les pirouettes acrobatiques du chat aux couilles ornées de roses rouges, enrubannées de satin, décorées avec un long chapelet de graines d'ouari.

Après plusieurs semaines d'immobilisation dans son lit, Gédéon commence à éprouver une vertigineuse sensation de détachement par rapport à son propre corps étendu comme une masse étrangère à sa conscience. Quel curieux inventaire de désirs mûris au fond d'un lac gelé ! Corps sans grandeur et miroir flou enclavé dans la fumée du rire. Je sens venir la mort.

Ma voix se confond avec le cri des insectes gorgés d'ombre. Je sens venir la mort. Je soupèse mon sexe pourri dans la fête immobile et la sève datée de nul arbre, prévoyant les angles durs et les courbes sèches où la vitesse des saisons happe mes mains nues. Je sens venir la mort. Tant de faims et de soifs que je n'ai jamais su par quel bout entamer mon recyclage. Ne jamais revoir ma femme. Avoir tristement vieilli dans le silence d'une chambre. Nourri de rêves inutiles. Je sens venir la mort.

Les fonctionnaires de l'angoisse éteignent les lampes dans les cendres et le sang de la nuit. Que de reniements depuis que les wagons de mes rêves s'entrechoquent à vide sur des rails usés !

Une charge de douleurs sur les ganglions des souvenirs chauffés à blanc. Naître ou renaître sinon mourir loin de toute lumière. Tout autour de moi, une végétation d'ombres et d'épines. Mon navire sanglé sombre au fond d'une cathédrale de cactus. Je voyage vers la mort. Les vents des muettes navigations cinglent mon visage. Quel jeu d'orages ! Je m'agrippe à la queue d'un cheval fou, traversant le vallonnement des nuages fertiles. Le hasard fuit en un lieu d'eaux pétrifiées.

Brasserie des vents stériles. Je marche dans un cimetière désert.

Le vertige m'aspire vers la mort. Ô rayures de mon âme toute musquée de la senteur des copulations secrètes !

L'œil du soleil se ferme sans bruit au creux des nuages / massifs d'oubli envenimant les ténèbres de l'angoisse / l'ennui s'installe avec la pluie plaintive / soulevant de pesants fardeaux nous nous heurtons à des corps de fer / Gédéon étendu dans son lit fixe le plafond les jambes et les bras brisés par le rhumatisme ne pouvant plus desserrer les lèvres depuis trois jours / il flotte une odeur de sang pourri / le soleil descend de biais à l'horizon vibrant d'écho / au bas de la colline le déhanchement des vendangeurs / Rita passe des jours et des nuits à veiller le passage de la mort, assise au seuil de la chambre où Gédéon s'en va lentement / nul sursis n'atténue les flétrissures de la métamorphose / nous descendons avec la rage de l'éboulement vers le lieu de chute et d'éparpillement des brisures d'os / les clairons des coqs crèvent la nuit / les souvenirs de Gédéon se tassent dans un trou poussiéreux parmi des débris de toutes sortes au fur et à mesure qu'avance la mort / la mer aimante le soleil / le hasard répété révèle une intention et l'éventail des désirs s'ouvre à l'intersection des chemins / l'instant du chavirement le moribond change de profil / la fête sanglante se prépare dans le basculement du paysage avec un entremêlement de végétations et d'animaux étranges / le ventre fécond de la nuit libère une armée de monstres / Saintil contourne les tombes du cimetière de Bois-Neuf / les ombres fertilisent le vide et le temps saigne dans les galeries de la mémoire / partir avec le tourbillon des eaux contraires / au fond du govi pourrissent les paroles du prophète / l'énigme du masque se coagule dans le rictus de la mort jusqu'à la morsure intérieure / Gédéon sombre dans l'inconscience irréversible / quelques jours après les funérailles du vieillard Rita retourne à Bois-Neuf chez son oncle Alibé.

Roulements de tambour annonçant la saison des orages. Le fleuve en crue fonce à grandes bourrades vers la mer austère ; et le vent déployant ses ailes tragiques se prépare aux attentats. Bouillonnements aux articulations des ténèbres et de la lumière. Comment rejoindre nos chevaux piaffant de l'autre côté de la rivière en déchaînement ? Au carrefour de minuit, Tête-Sans-Corps, escorté par un régiment de valets, hurle à tue-tête et menace de lâcher sur la ville des légions de vampires, si nous refusons de livrer nos enfants avant l'aube à sa rage dévorante.

— Je voudrais m'envoler, brasser l'espace de mes ailes puissantes, arracher les arbres d'un souffle, secouer les montagnes de l'île, m'étendre sur les cimes crêtées de sang pur.

— Volez comme bon vous semble, Tête-Sans-Corps! Gardez-vous de vous poser sur nos branches. Votre pouvoir, issu des cavernes, tourne avec les ombres dans l'indécence des ruines.

— Je voudrais injurier, cracher dans vos mains, défoncer les portes de vos maisons, éclabousser les sexes de vos filles d'un intarissable jet de sperme.

— Injuriez comme bon vous semble. Les insultes sont souvent cousues de toile d'araignée à travers laquelle passe librement le vent; et l'écho aveugle ne sait rien des mensonges, ni de la vérité. Mais, bien que nous soyons à un carrefour tragique, vous ne toucherez pas à un cheveu de nos filles.

— Je voudrais tout détruire, tout avaler, et ensuite vomir.

— Monstre ridicule et malade! Détruisez vos palais, les chambres d'horreur, vos engins de guerre, les machines de la mort. Avalez les viscères et les tripes de vos maîtresses. Broyez les pierres de votre empire. Mais, vous ne vomirez point vos humeurs glaireuses dans nos chaudrons.

— Je voudrais écraser les vers de terre, les mouches qui vrombissent à mes oreilles, et nettoyer mon chemin de toute trace de vie.

— Anéantissez les bestioles qui se repaissent du pus de vos plaies. Vous avez misé sur un vide fragile, incapable de retenir le poids de votre tête coincée entre l'ombre et la lumière. Vous livrez un impossible combat contre l'espoir multiplié par nos voix et nos douleurs. Nous avons appris à dormir d'un œil, armés de lames à tranchant de sel.

— Je voudrais me jeter dans vos lits et réchauffer mes os glacés avant de poursuivre l'interminable voyage sur mon cheval harnaché d'éclairs.

— Voyagez, Tête-Sans-Corps! Roulez dans la poussière et la bâtardise des vents fous. Bientôt, le tourbillon des grandes vagues vous emportera vers l'horizon fuyant.

— Moi, Tête-Sans-Corps, dans ma Toute-Puissance, je me moque des prophéties crachées par la bouche des pauvres humains qui ne vivent que de chimères. Ce soir, vous avez de la chance que mon estomac soit rempli. Je vais me coucher dans mon domaine.

— Vous mentez, Tête-Sans-Corps ! La saison commence à changer. Nous nous méfions de vos manœuvres.

— J'éclate de rire.

— Vous ne savez point rire, Tête-Sans-Corps. Vous ne pouvez que grimacer.

— Je proclame à haute et intelligible voix que, par fidélité aux étoiles maléfiques, je vais me placer à la droite du malheur.

— Horrible Tête-Sans-Corps à la bouche enténébrée de mort puant le sexe pourri ! Allez crever ailleurs !

Dans un vacarme infernal, Tête-Sans-Corps s'éloigne de la route, traverse en trombe une haie d'arbres-chandeliers, suivi par une meute de chiens aboyant après les ombres de la nuit.

Crime à détruire gorge ouverte avalant les détritus / l'échappement hors des poumons éclatés / la brûlure des lèvres écartées par subversion du vent de la vengeance trouant la peau arrachant les entrailles des animaux pestiférés dansant au jaillissement de la mort / regard impitoyable / œil guerrier crachant des matières explosives / tous les masques tombent sur le sol boueux quadrillé de barbelés / les replis des blessures tatouant la calvitie flamboyante rejetant l'immaturité des rêves dénaturés / entre les paupières la goutte de sang / en retrait l'écroulement des grottes / l'interruption du sommeil des mabouyas des anolis et des iguanes / témoins de leurs forfaits / ils ne nous chasseront pas de nos terres / nous refusons le ramollissement par la décharge des seringues dans les boîtes crâniennes / nous vomissons leurs chiffres dans les latrines foisonnantes de rats bouffis sous les cris de la foule briseuse d'idoles / de nos mains nous repoussons les cloisons et nous rompons les digues / avec patience nous détortillons les tripes de la fourmi révélatrice de secrets anciens / la fête sauvage

aux couleurs d'incendie / l'assassinat des enfants transpercés à la baïonnette / le jeu nocturne des allumettes / l'exode des nourrices vers le désert / les serpents s'enroulent autour de leur proie dans le silence des boucles de l'asphyxie / la palpitation des veines temporales / les saillies glandulaires / des flots de bile et de salive débordent de la bouche / le feu investit sa grande sagesse dans la poussière des pierres fragiles diffusant le message dans le lyrisme du vent dilatant notre mémoire.

Guettant les zigzags de la lumière dans la béance du miroir, nous percevons les gargouillements de l'engloutissement sous les éboulis des ténèbres. Hors du gouffre, notre cœur s'emballe. Inextinguible lampe, nourrie de notre sang, inclinée vers nos douleurs. Ivresse de palper le ventre de la lune chabine dorée. Étrange partie de billard où les éclairs et nos mains s'entrecroisent. Miraculeux accouplement de nos rêves avec la foudre. Deux temps, trois mouvements, la vie bourgeonne et change de plumage. Une ombre folle s'engage dans une course déglinguée à la recherche d'un corps disponible. Pirouettes et contredanse bouffonnes. Ce n'est pourtant pas la saison des éclats de rire.

Au cours d'une de ses nombreuses escapades, agrémentées de sauts acrobatiques par-dessus les clôtures, le pasteur Pinechrist termina sa carrière de dragueur sur un récif meurtrier. La pratique de fourgonner les épouses de ses frères en Jésus-Christ avait irrémédiablement empoisonné son existence. En pleine nuit, un frère protestant le surprit en flagrant délit, alors que, tout couvert de sueur, il escaladait le mont Sinaï. Extrême indignation. Explosion de rage. Effondrement du lit. La mère poule, effrayée, s'envola toutes ailes ouvertes hors de l'arène ensanglantée. Éclairs de machette. Tête à la voltige. Appuyé contre un poteau de la clôture, le cadavre mutilé du pasteur Pinechrist. Entre ses jambes ouvertes à quarante-cinq degrés, une bible aux pages souillées. La nouvelle se répandit très vite à travers tout le pays. De nombreux fidèles des cohortes protestantes déchirèrent leurs bannières. Des légions de fanatiques de l'Évangile brûlèrent leurs bibles. Fermeture des temples. Démantèlement des tonnelles dans les bourgs et les villages. Bon nombre d'institutions philanthropiques étrangères, spécialistes du double jeu, mirent fin à leur programme d'aide alimentaire. Coup fatal pour le parasitisme de Gaston qui, acculé, chercha à se rattraper dans d'autres activités.

Explorant vallées, montagnes et plaines, nous avons vomi un flux de paroles ambiguës aux sonorités rauques et gutturales.

Nous avons frappé rageusement nos tambours, en hurlant des chants à garder notre âme debout. Interminable clameur gonflée de révoltes. Après des jours et des nuits de marche, nous cédons notre place à d'autres voix de la tribu pour la persistance des cris. Feu symphonique des raras. Écho des vaksines. Rassemblement sous le mapou. Le convoi s'apprête à franchir le fleuve. À l'avant-garde, la bouche du samba hurle des couplets frénétiques, animés par le chœur des chanterelles, et repris par une grappe de voix enflammées. Parcourant les corridors, les bois et les régions peuplées de halliers, nous parvenons à recouvrer d'innombrables fragments d'histoires, à reconstituer des tas de rêves oubliés. Et, notre mémoire, chevauchée par un loa sauvage, danse d'hystérie. Empreintes de nos orteils dans la poussière, trous creusés dans la boue, vêvês tracés à la croisée des chemins, pour que la mort ne l'emporte jamais sur la vie.

La violence meurtrière de l'assassin attise notre soif de vengeance. Nos cicatrices bourgeonnent. Les dents du bourreau mordent impunément la chair de nos enfants Qui aura su compter nos blessures à ce dangereux carrefour de déséquilibre où tant d'infortunes pèsent sur nos épaules ? Après avoir sondé les quatre horizons, nous sommes décidés à enjamber le fossé des vieilles malédictions, à briser la croix du malheur. Nous avons pilé du maïs ; immanquablement nous mettrons l'acassan au feu.

À genoux, les cheveux égaillés sur le visage, Sultana s'agrippe aux jambes de Clodonis en pleurant.

— Clodonis ! Clodonis !

— Oui ouan !

— J'investis toute ma patience de femme dans le retournement de ton sang vers la lumière, et mon espoir mûrit malgré l'absence. Clodonis regarde-moi.

— Oui ouan ! Oui ouan ! Oui ouan !

— Cognant contre les murs qui nous séparent, combien de fois devrais-je interroger le silence ?

— Oui ouan ! Oui ouan ! Oui ouan !

— Je me traîne à tes pieds ; et je ne vois nulle image, nul frisson traverser l'eau morte de tes yeux.

— Oui ouan ! Oui ouan ! Oui ouan !

— Dis que tu acceptes mon amour, et je t'aiderai à récupérer ta mémoire enfouie dans la bouteille opaque.

— Oui ouan ! Oui ouan ! Oui ouan !

Engoncé dans une vieille chabraque tissée de fibres brutes, les épaules de travers, la tête inclinée grotesquement, Clodonis garde les yeux fixés au sol sans un battement de paupières. Sultana se relève, l'enlace fougueusement par les hanches.

— Clodonis, il faut que tu m'écoutes.

— Oui ouan !

— Il y a un dézafi qui bouillonne de l'autre côté de la voie ferrée ; il attire tout le monde. Ici, nous sommes seuls.

— Oui ouan !

— Nous sommes tout seuls dans la maison.

— Oui ouan !

— Saintil s'est rendu à la gallière.

— Oui ouan !

— Zofer s'enivre de tafia quelque part. Nous sommes vraiment seuls.

— Oui ouan !

— Le soleil chavire au couchant. Réponds-moi, Clodonis. Je peux te remettre la clé de ta vie... Avant qu'il ne soit trop tard, réponds-moi.

Au même instant, Sultana perçoit un bruit de pas et une voix au timbre de marmite, en provenance de la cour. Elle s'empresse de regarder par la fente d'une fenêtre. Zofer s'approche en titubant. Sultana se précipite au-dehors, enferme Clodonis dans une chambre ; puis, elle se dirige à l'intérieur du péristyle et s'arrête brusquement près du poteau-mitan, troublée par les cris d'une fresaie coïncidant avec le retour imprévu de Zofer, dont la silhouette se dandine dans la semi-obscurité. Butant contre un pilon de bois placé en travers du seuil, Zofer évite de justesse une chute sur le sol poussiéreux ; perdant l'équilibre, il bouscule Sultana au passage, en esquissant le geste de lui palper les seins.

— Quoi donc ! Ivrogne impertinent ! (hurle Sultana, en reculant jusqu'à la porte d'entrée principale du hounfor).

— Sultana, j'ai l'impression que ma présence t'importune. Cacherais-tu quelque trésor dans les plis de la nuit ?

— Il y a des limites à ne pas franchir, Zofer. Retiens-toi. Je te le conseille.

— Désapprouverais-tu mon ivresse ?

— Peu m'importe que tu t'enivres.

— Sultana, je sens monter en moi une puissance mâle issue de profondeurs obscures. Comment pourrais-je me maîtriser dans cet effroyable combat contre la marée mystérieuse qui m'enveloppe et me soulève ?

D'un pas lourd, Zofer s'approche de Sultana, en se frottant les mains nerveusement, le visage déformé, on dirait un monstre surgi de l'abîme.

— J'ai envie de toi, Sultana.

— Quel culot !

— Je t'en prie, Sultana. Un coup de hanche. Rien qu'un seul. Tu n'as rien à craindre. Je n'en soufflerai mot à personne.

— Soûle-toi comme tu veux, Zofer. Mais, respecte ton verre.

— Rien qu'un tour de manivelle, Sultana.

— Tu me donnes le dégoût ! Perdrais-tu la tête ? Tu es un forcené. Tu ne manques pas d'audace.

— Ma folie s'est tournée vers toi, depuis que j'ai flairé l'odeur du courant souterrain qui t'entraîne. Je suis un animal des cavernes. Mon instinct ne saurait me tromper.

— Ce soir, au retour de mon père, attends-toi au déchaînement de sa colère, quand il aura appris ce que tu as osé me dire.

L'air furieux, Zofer regarde Sultana, en faisant craquer ses doigts. De ses yeux rouges de rage jaillissent des éclairs menaçants. Ses mâchoires contractées se meuvent avec un bruit agaçant d'engrenage rouillé. Concassage de pierres dures en une fraction de silence, dans une atmosphère embroussaillée de désir et de haine.

— Sultana, sache que je suis au courant de tes déjuponnades clandestines. J'ai fait preuve d'une grande discrétion. Tu devrais me couvrir de baisers dans un lit parfumé, orné de toutes les fleurs du pays. Tu devrais me récompenser, au lieu de me repousser.

— Tes chantages ne m'ébranlent point.

— Tu n'as rien à craindre... Tu n'as aucune raison d'avoir peur... Et puis, pourquoi aurais-tu peur de moi ? Je ne te demande pas de faire saigner les pierres, ni de me servir la lune dans l'assiette de Dambala.

— Pourquoi ne jettes-tu pas ta langue aux pourceaux ?

— Sois intelligente, Sultana. Je n'ai jamais été méchant envers toi. Depuis ta naissance, je te protège avec affection et dévouement. Je demeure un irréprochable serviteur de la famille. D'une fidélité à toute épreuve, aussi secret qu'une tombe, je n'ai jamais dévoilé l'enfilage des étoiles captives sous les eaux de l'étang. Ma participation à la prospérité de l'habitation ne date pas d'hier. Ma contribution est immense. Et pourtant, je n'en ai tiré aucun profit.

— Tu ne parviendras point à m'attendrir par tes reproches voilés, Zofer. Va donc œuvrer dans les poubelles de la mort, fossoyeur répugnant !

— Tu joues avec le feu, les mains nues, Sultana. Tu t'entortilles dans un jeu dangereux, depuis le jour où Clodonis a intégré le troupeau des zombis. J'ai tu mes soupçons à Saintil. Jamais je ne me suis confié à qui que ce soit. Depuis longtemps, je sais que tu marches nu-pieds sur de dangereux tessons. Pourquoi ne prends-tu pas conscience de tes erreurs ? Tu risques une vache pour une corde pourrie.

En proie à la fièvre de la peur, Sultana, dont le visage décomposé exprime le plus profond désarroi, commence soudain à trembler. Empêtrée, elle répond par des diversions.

— Serais-tu sous l'emprise d'un loa bossale ? Le clairin t'a complètement détérioré la cervelle. Va donc te baigner, te jeter dans un lit pour pouvoir au moins dormir. Cela calmerait ton esprit surchauffé.

— Je te parle en pleine possession de ma lucidité. Je ne divague pas. Je n'invente rien. Il y a longtemps que j'épie tes rondes nocturnes aux abords de l'appartement des zombis. Je t'ai prise au piège dans une passe difficile, ma petite Sultana.

Zofer éclate de rire. D'un rire affreux qui rappellerait les grincements d'une égoïne ébréchée en train de scier du bois aux fibres dures. Il se racle la gorge, les yeux révulsés, le regard enflammé. Puis, il expectore un jet glaireux, une abondante et épaisse morve verte mêlée de crachat visqueux glissant le long du panneau de la maison.

— Je suis à bout de patience, ma cocotte.

— Moi, je suis fatiguée de tes horribles bobards.

— Combien tu es rusée, belle putain !

— Quelle insolence, ivrogne gueulard !

— Quand ce soir, pour décharger ma conscience, j'aurai confié à Saintil toute cette masse de secrets que j'ai trop longtemps gardés, tu sentiras le poids de ta culpabilité et de ta trahison. Je mettrai à nu les tripes de la fourmi, à l'heure du règlement de comptes. Que de sordides mensonges tu as tissés autour de nous ! Que de sales combines tu as montées au sein de cette maison ! Ton aveuglement est sans bornes.

Saintil ne s'imagine pas ta perversité. Ce soir, je lui dévoilerai tes répugnantes machinations. J'ouvrirai les entrailles de la jument futée. Les bourriques orgines henniront de folie. Je plongerai les bras de Clodonis dans un réchaud de braises. Je vais tout de suite pétrir les fesses et les couilles de ce ridicule zombi dénerflé. Laisse-moi passer ! Écarte-toi ! Foutre tonnerre ! Laisse-moi passer !

Bousculades. Déséquilibre. Chutes manquées. Égratignures. Gifles. Poussades. Morsures. Coups portés à la gorge. Brutal corps à corps. Zofer terrasse Sultana, pénètre en trombe dans le hounfor, s'arme d'un bâton-monté. Sultana se relève, empoigne une chaise et bondit sur Zofer. Le bâton s'échappe et tombe. La bataille s'engage à mort. Bourrades foudroyantes. Coups puissants brassant l'air. Corps tourbillonnants. Blessures. Coups de pied. Chute à la renverse. Sultana, les cheveux ébouriffés, les lèvres ensanglantées, cherche à tâtons dans le noir, ramasse le pilon de bois et assomme Zofer qui s'évanouit.

Sans perdre de temps, telle une pouliche en furie, Sultana met au feu un chaudron rempli d'eau et de légumes. Un chaudron tout abîmé, complètement bosselé, noirci de couches de fumée.

Elle y ajoute trois poignées de sel bien pommées. Une fois le bouillon salé à point, Sultana ouvre la porte de la chambre, verse hâtivement toute une timbale dans la gorge de Clodonis qui avale, en s'étranglant, quelques bonnes onces du précieux breuvage. Clodonis est pris d'un soudain vertige. Crispations et spasmes. Sa poitrine éclate sous la progression démantibuleuse d'un rouleau compresseur. Picotements. Piqûres. Décharges électriques. Dans toute sa chair, il ressent des écorchures, des brûlures, des éruptions de plaies vives. Explosions successives annonçant une nouvelle naissance. Clodonis empoigne nerveusement sa tête. Couvert de sueur, emporté par un carrousel vertigineux, il s'écroule sans connaissance dans un coin. Sultana se précipite avec une serviette imbibée d'eau salée ; avec insistance, elle lui éponge le visage. Vivement, elle le tamponne, lui fourbit les tempes, lui frotte la poitrine, lui palpe les mollusques, lui tire les orteils, lui râpe la plante des pieds, lui gratte le creux des aisselles, lui chatouille les côtes, lui mord les oreilles et les lèvres... Brusquement, Clodonis reprend conscience en gigotant. Ses yeux, d'un éclat terrifiant, s'ouvrent avec des reflets de peau de lézard. D'un bond, il se relève.

Ses genoux fléchissent. Trébuchant, il se ressaisit en s'appuyant sur la palissade de la chambre. Aussitôt, un flot d'images commence à tourbillonner dans sa tête. Sous forme de séquences discontinues, il revoit, de manière floue, le film de sa vie : une calebasse sur ma tête je vois des cadavres étendus à terre dans le paysage de pierraille et de cierges épineux j'urine dans mon pantalon je garde les yeux fermés mes paupières sont lourdes je rampe à plat ventre mon abdomen se contracte je sens un fourmillement à mon sexe l'odeur de l'encens ma mère s'agenouille auprès de moi les plis de la douleur la chaleur infernale les flammes crépitent les pillards accumulent des richesses les ongles des rapaces leurs griffes leurs dents s'allongent les masques tombent ils ne peuvent rien dissimuler je me baigne à la source en sueur sous le soleil la paysanne me sourit en étirant les jambes j'agite nerveusement les mains sous la poussée de la fièvre clignement d'œil elle joue de la langue pour m'exciter davantage deux chiens reliés par le cul bavent dans la poussière sèche et dense je travaille dans une rizière marécageuse j'étouffe dans mon cercueil j'entends des cris je discerne la voix de ma mère je respire l'odeur de l'étang dans l'obscurité je marche regardant mes orteils je sens des mains chaudes me soulever par les jambes par les hanches par les aisselles j'entends une porte s'ouvrir et se fermer le vent apporte une combinaison d'odeurs je ne peux pas

me boucher les narines ni les oreilles les senteurs et les sons voyagent à travers mon corps passionnant jeu de marelle je me glisse
dans tous les coins et recoins du village elle me frotte le pubis je
reste debout inerte insensible de ses doigts tremblants elle me
meurtrit la pine coups de fouet sur mon dos une clameur monte
des marécages hennissement de chevaux les mabouyas glissent
et agitent les feuilles desséchées je me penche et me regarde je
ne reconnais pas mon visage jeu de cache-cache les poignets
attachés par une corde de sisal le maïs boucané sous la cendre
la balle roule devant le calvaire la copulation dans l'obscurité
les yeux flamboyants des chevaux en fuite les acrobaties des
chauves-souris et des rats funambules ils rasent tous mes poils
ils frottent mon crâne avec une huile rance ils entaillent mes
cuisses elle me caresse le front le passage nocturne des orages les
baisers fiévreux dans un coin de la maison l'aube pénètre par la
fenêtre entrouverte de la chambre mes oreilles et mes narines me
conduisent je remplis mes mains de sable mouillé j'observe les
allées et venues des charrettes chargées de canne à sucre ils me
battent me frappent avec une houssine j'ai les jambes couvertes
de plaies une rafale de coups de corde sur mes épaules nues des
compresses de feuilles de corossol sur mes tempes de mons-
trueuses créatures entourent mon lit les yeux rongés le visage
tacheté de gale une machette plantée dans l'estomac je respire
la rancitude de l'huile versée sur mon crâne je tâte mes côtes
endolories j'écoute des voix perdues je devine le bruissement
du fleuve intérieur jouer au soldat marron dans la cour du lycée
leçon de grammaire test d'orthographe les règles d'accord du
participe passé chavirement de boumba près de l'embouchure
les canards sauvages frôlent la surface des eaux de l'étang de
Bois-Neuf plongeons acrobatiques la ronde érotique des guédés
tendresse maternelle brimade paternelle la furie des avalasses
vacarme à la Croix-des-Bossales poisson salé panier de haricots
l'empilement des bananes vertes les coups de poignard sous l'indifférence de la statue de madame Colo debout à l'intersection

des rues Macajoux et du Peuple une tournée généreuse d'eau de
coco la cheminée de la Hasco la complaisance des ponts jetés
çà et là au-dessus des eaux l'errance aux abords des moulins à
canne les rondes carnavalesques au Champ-de-Mars les bars
populaires et leur entraînante musique sur la route de Bizoton
les examens du troisième trimestre la remise des carnets scolaires
au lycée les grandes vacances d'été une ribambelle d'enfants
en fête extravagance d'adolescent le cœur enflammé tous les
paysans de Ravine-Sèche exaltés crient bravo Clodonis bravo
notre champion vive le conquérant vive le tombeur des femmes
difficiles le coq de race tout le village de Bois-Neuf applaudit
bravo Clodonis débordement de joie des paysans de Ravine-
Sèche bravo Clodonis provoquant l'amertume de Saintil jaloux
mécontent je ne bouge pas je refuse de m'enfuir de capituler
devant la charge d'aigreur et de rage de Saintil le travail aveugle
de la haine l'empoisonnement le meurtre la zombification Zofer
m'a tendu un piège les mailles de la fausse mort m'enserrent
m'emprisonnent m'étouffent moi-même Clodonis moi vraiment moi victime de mon imprudence l'inévitable piège la capture et la succession des tourments dans la boue des marécages...

Clodonis ne pouvait imaginer que, dans un verre de limo-
nade glacée, il avalerait le poison fatal, qui une demi-heure plus
tard, déclencherait le processus d'endormissement comateux.
Point de départ d'une chaîne de réactions et de troubles psychosomatiques. L'omnipotent Saintil a toujours pris ombrage
du savoir, guettant les moindres occasions pour frapper tous
ceux qui oseraient contester son pouvoir, disposant d'une
variété de recettes zombificatrices. Clairin infusé de feuilles
vénéneuses. Lotion douée de vertus maléfiques. Muscade de la
folie. Concombres de l'inconscience. Pinga-Serein. Breuvage
court-circuitant le cerveau. La foudroyante solution aux trois-
dégouttes. Pépinière pour la préparation de drogues inhibitrices
des nerfs. Poudre hallucinogène provoquant l'obsession de la

les âmes endormies, réveille les consciences. Dans la cour de Saintil, des voix se déchaînent nourries par un flux de pensées imprécises où la raison cherche sa route hors de la gangue des fantasmes, dans un enchevêtrement de cris et de paroles. La lune décline vers la mer deux coups sur la terre ballonnée poule égorgée même les cocobés s'agitent les pointes des catchapicas égratignent les flancs pas de fuite possible quand les loas pétros sont en colère creuser les gouffres combler la mer l'écrabouillage les terreurs de la faim détruisent les remparts défalquant les fausses paix un poignard dans le crâne la vengeance semée dans chaque grain de sable je vois des chiens à cornes les exactions des percepteurs au marché les abus de justice je ne me baignerais pas dans la rivière en crue le hounguènikon regarde le bourgeonne-ment des flammes Saintil a joué dans nos plaies j'ai perdu ma vache laitière mangeant l'acassan au poison j'ai accueilli la mort à bras ouverts les yeux globuleux ma maîtresse-femme recroque-villée en accordéon après l'accouchement le dessounin tardif au milieu de la nuit l'accrochage des crapauds affamés de mouches la putain pousse des gloussements le riz et la paille se séparent dans le moulin le chef-de-section et le chouquet-de-la-rosée ran-çonnent les paysans de Bois-Neuf le houngan a brisé un asson sur ma tête les loas moundong se manifestent à la fin du kand-janroun mauvaise récolte de tabac le marteau enfonce les clous du cercueil la barque d'Agoué se brise contre un rocher j'entends les grognements agaçants des porcs le vagissement des crocodiles et des caïmans allongés à plat ventre dans l'étang boueux l'effi-cacité souterraine du houanga la lune aux abois le défi du bôkor les doigts sur l'enclume coups de barre de fer la bedaine bourrée de déchets franchir la barrière à la barbe de Legba oser toucher la méliassine d'Ogoun-Ferraille deux ennemis s'affrontent à mort sur le pont le retour de la maquerelle l'étripement implacable le brechet disloqué dans la chute de l'oiseau le débordement sens dessus dessous le corps réchauffé à la maniguette la pagaille par-fumée à l'urine de cheval foulant la merde fraîche ils nous ont laissés les mains vides odeurs et couleurs cadavériques l'utérus arraché je pressentais le malheur là où le bât blesse les acrobaties des bizangos funambules la vaisselle brisée la jalousie d'Erzulie les querelles des coqs ébouillantés au carrefour zobop barrage contre les mauvais airs entre le chat et le rat le baril de maïs j'ai eu peur de m'approcher nu du bassin de Linglessou l'animal traqué se défend Saintil nous a pris au piège couvaison des œufs de la tortue de mer sous le sable la récolte de millet le café de janvier Zofer m'a roué de coups de trique nous avons vécu dans la servitude la plus horrible nos plaies saignent les prédateurs ont égorgé des innocents la danse des mabouyas nous attraperons le cheval malin dans le col étroit de la route mélangeant le sang et le lait pour détourner le maldiocre...

Revivifiés par le sel, les anciens zombis, devenus des bois-nouveaux, emportés par la rage vengeresse, s'agitent, détruisent, fouillent, bouleversent de fond en comble l'habitation de Saintil. Bousculades. Renversement des murs de l'enfer. Le feu se propage à travers les champs. Sultana, gravement traumatisée, s'enfuit au bord de la folie ; elle court nu-pieds dans les bois enveloppés d'ombres, échappant ainsi à la furie des révoltés. Couleurs enivrantes de l'incendie. Voix chargées de douleurs, pleines de violences. D'antiques rêves s'embrasent, venus du fond de l'âme. Le vent râle à travers des jaillissements de flammes. Exaspérés par le souvenir des misères et des souffrances endurées pendant de longues années sur les terres de Saintil, les bois-nouveaux bondissent dans la cour, défoncent les portes, arrachent les fenêtres de la chambre où sont accumulés d'innombrables instruments de torture et une infinité d'accessoires au moyen desquels les tortionnaires assouvissaient leurs désirs de cruautés : des paillasses infestées de punaises géantes (les piqûres la succion le picotement la démangeaison l'irritation le feu des boursouflures) ; une variété de fouets, des houssines, des chambrières, des martinets, des sticks ; une collection de bâtons et de matraques de toutes formes et de toutes dimensions ; des fioles contenant des drogues zombificatrices ; des divans hérissés de clous destinés au repos des sujets réfractaires ; des linges de lit imbibés d'acide pour réchauffer le sommeil des dénerflés ; des rigoises aux tresses brûlantes propres à provoquer d'un seul coup l'enflure des veines, la dilatation des artères sous la peau et le déraillement du système circulatoire chez la victime ; des poignards dont la pénétration dans la chair entraîne d'irréparables dégâts, des blessures en fleurs, une intense hémorragie, des plaies incurables, une fausse cicatrisation et un champignonnement cancéreux ; des chaînes aux maillons tranchants qui non seulement mutilent les jarrets et les pieds mais encore déclenchent la paralysie des membres inférieurs ; des ceps munis de barres et de boulons massifs dont le serrage produit progressivement la compression des viscères abdominaux, l'éclatement des reins, du cœur, de la rate et du foie ; des carcans à crocs strangulateurs ; tout un jeu de rasoirs utilisés dans les opérations de charcutage ; des râpes pour écorcher et limer les os ; des pinceaux imbibés de vitriol servant à badigeonner le crâne après chaque rasage ; des massues démantibuleuses ; des tenailles réservées spécialement à la castration des insoumis ; des pinces automatiques facilitant le démontage et la dislocation des mâchoires ; des marteaux aplatisseurs pour écraser les doigts ; des hache-viande ; des broyeuses de testicules ; des plateaux de chauffage destinés au supplice des fesses grillées ; des égoïnes pour scier les jambes des zombis soupçonnés de tentative d'évasion ; des tiges et des aiguilles qui, appliquées à certains endroits du corps, annihilent les réflexes de défense ; des foènes et des pics pour la crevaison des yeux et la perforation des tripes ; des bocks et des canules pour les injections au lait de bousillette. Tous les instruments de torture, mis en pièces, gisent éparpillés dans la cour de l'habitation. Renversement des palissades des panneaux et des clôtures. Progression des flammes de l'incendie dévorant les traverses, les poteaux et les planches pourries. Toute la maison s'écroule dans un bruit infernal.

Zofer rampe à plat ventre, se traîne sur les genoux, se relève et tente de s'enfuir à toutes jambes. À proximité de la barrière, un groupe de bois-nouveaux, surgis des ombres, lui barre la route, l'encercle et le capture brutalement. La mise à mort et le dépeçage de Zofer ne durent qu'un instant. Écartèlement. Arrachement sanglant. Corps déchiqueté en d'innombrables morceaux épars. Spectacle de pièces démantibulées, jetées çà et là dans la poussière du grand chemin : des pans de mâchoires, quelques dents, des bouts de bras, des fragments de cuisses, un crâne béant, des tronçons d'intestins en bouillie, des phalanges, des retailles d'oreilles et de lèvres.

Surexcités, les bois-nouveaux attaquent à l'improviste. Tous les objets qui leur tombent sous la main se transforment aussitôt en armes vengeresses : bouts de machettes, pieds de chaises, cornes de bœufs, serpettes, culs de bouteilles brisées, conques de lambi, sacs de pierres, pioches, éperviers, fourches, râteaux, bouts de câble, bâtons-chapelets à nœuds durs, battoirs, haches, marteaux, tiges épineuses, pilons de bois.

Les bois-nouveaux, tels des chiens affamés pris de rage, se précipitent hors de l'habitation dans une horrible anarchie. Obsédés par le désir de vengeance. Jetés brusquement sans directive dans un champ d'action où la liberté ouvre soudain à des consciences bouleversées un éventail de choix. La raison s'égare et les pulsions ténébreuses émergent, l'instant même où tout devient possible : la barbarie, le viol, la fuite solitaire, le refuge familial, les représailles, le pillage, la destruction aveugle, la pagaille.

Il s'élève dans la nuit une clameur immense. Vacarme gonflé de bruits et de cris insolites. Les habitants de Bois-Neuf et de Ravine-Sèche, tirés de leur sommeil, les oreilles en trompette, les yeux hagards de saisissement, sortent de leur chaumière pour observer, avec une curiosité mêlée de peur, le déferlement d'un rara imprévu à travers le bourg. La langue déliée, l'esprit vif, Clodonis s'adresse aux bois-nouveaux.

— Où allons-nous ? Où voulons-nous aller vraiment ? Pour quoi continuons-nous à errer sans objectif dans la nuit ? Nous devons éviter la dispersion et la violence gratuite. Les chevaux, qui passent leur temps à piaffer dans la savane, n'arrivent jamais au terme de leur voyage. Il est indispensable que nous nous unissions aux paysans de la région pour suivre ensemble un seul chemin, celui de la liberté pour tous. Nous les bois-nouveaux, nous avons vécu comme des bêtes inconscientes dans les rizières marécageuses. C'est aujourd'hui seulement que nous découvrons les horreurs de la zombification et que nous sentons la nécessité de lutter contre toutes les formes de servitude et d'aliénation. De leur côté, les paysans, victimes de la misère et de l'exploitation, ont souffert peut-être plus que nous. De toute manière, il est urgent que, les uns et les autres, nous formions un front uni pour écraser ce soir même la tête du serpent. Je viens d'apprendre que Saintil, habitué à introduire en camouflage des pintadines dans le gallodrome, sème l'épouvante dans les rangs des amateurs de coqs de combat. Ramassons toutes nos forces et allons affronter le tyran dans le dézafi qui bat son plein de l'autre côté de la voie ferrée.

Identifiant la voix qui parle et la silhouette découpée dans la semi-obscurité, de nombreux habitants de Bois-Neuf reconnaissent aussitôt Clodonis. Cris d'émotion et de joie. Embrassades fraternelles. Enthousiasme délirant. Les paysans, armés de méliassines et de torches, alliés aux bois-nouveaux, forment une immense cohorte en marche vers le lieu du dézafi. Par-delà le morne Lakatao, une lune albinos se faufile à travers un effilochement de nuages.

Le corps brisé de fatigue après les durs travaux de la journée. Alibé revient des champs à la tombée de la nuit. Nœud de lassitude en arrière des yeux. Les dents serrées, la démarche un peu lourde, il avance à travers les halliers. Au fond de sa tête prend forme un rêve de récolte dans lequel tourbillonnent des grappes de figues, des gousses de haricots, des grains de riz, des tiges de millet, des charges de patates, des marmites de citrons. Le dos tourné à la lune qui se lève, il s'en va vers sa demeure, précédé de son ombre qui danse mollement sur la route un tolalito déglingué. Tandis qu'il s'approche du bourg situé en contrebas, il s'arrête un instant, l'oreille attentive à un vacarme lointain, sourd, indiscernable. Dévalant de biais le morne Lakatao, il perçoit de plus en plus clairement les vagues irrégulières d'une clameur charriée par le vent. Rumeur confuse en provenance de Bois-Neuf. Bribes de paroles entrecoupées de hurlements : mourir se réveiller jardin dévasté les bois-nouveaux se déchaînent Zofer écrasé Sultana s'est enfuie bouillon salé distribution de sel Clodonis a goûté du sel tous les zombis ont goûté du sel les zombis ont récupéré leur âme les zombis sont devenus des bois-nouveaux les tripes de Zofer pendent aux clôtures de l'habitation les bois-nouveaux ont incendié la plantation le feu a dévoré le péristyle le hounfor les dépôts saccagés les barils de viande renversés des pintadines dans la gallière Saintil dans le dézafi allons écraser Saintil allons bousiller Saintil allons défesser Saintil allons pulvériser Saintil dans l'arène...

Sursaut d'émotion. Fièvre soudaine. Course effrénée. Alibé traverse à la bouline la butte des Abricots, franchit la bastraque, file entre les bananiers, bifurque par des raccourcis, et tombe tout d'un coup sur une bande d'enragés en armes hurlant à tue-tête : Allons dévorer Saintil ! Allons donc châtrer Saintil ! Allons pilonner Saintil ! Allons donc broyer les os les entrailles et la chair du tyran !....

Alibé saisit aussitôt le sens et la portée d'un tel événement. Il se précipite à travers un champ de sisal. Suant, haletant, il pénètre en trombe dans sa chaumière.

— Jérôme ! Jérôme !

— Alibé mon frère ! Quel est ce vent débordant de rage qui s'acharne ainsi à chambouler le bourg ?

— Il vient tout juste de naître. Il n'a pas encore de nom qui lui soit propre. On le baptisera plus tard. En attendant, compère Jérôme, il vaudrait mieux que nous allions participer tout de suite à cette messe nocturne solennelle pour ne pas rater la sainte communion.

— Parlerais-tu tout de bon ?

— La terre bouge jusque dans ses entrailles. Un cyclone tapageur tournoie dans l'immense habitation de Saintil, ébranlant toutes les assises de Ravine-Sèche et de Bois-Neuf. Les zombis, semble-t-il, auraient goûté du sel dans un véritable gargotage de bouillon salé. Leur conscience s'est soudain réveillée ; ils sont devenus des bois-nouveaux. Soutenus par les paysans de la contrée, ils se dirigent actuellement vers le dézafi. Décidés à exterminer la tyrannie, ils s'apprêtent à franchir la voie ferrée à la recherche de Saintil.

— Tout de bon ? Est-ce vraiment vrai tout ce que tu dis ?

— Sultana s'est enfuie à moitié folle à la faveur du cafouillage des ombres de la nuit. Zofer a été dépecé en mille morceaux ; ses tripes sont restées accrochées aux clôtures de la plantation. L'heure du règlement de comptes a sonné pour Saintil.

Sans perdre une seconde de plus, Jérôme plonge hors du grenier, se laisse glisser sur l'échelle avec une telle précipitation qu'il en brise quelques barreaux. Puis, accompagné d'Alibé, il fonce à toute allure vers la zone d'animation du dézafi, en direction du gallodrome.

Depuis la mémorable mort du pasteur Pinechrist, Gaston mène une existence empoisonnée de tourments et de tribulations. Ballotté par des flots contraires, il exerce, au gré du hasard, les activités les plus misérables pour pouvoir survivre : brouettier ambulant, porte-faix, gardien de cour, nettoyeur et surveillant de toutes les races de chiens étrangers dans les maisons luxueuses (doberman-pinscher, bouvier des Flandres, lévrier d'Italie, berger d'Allemagne, saint-bernard des Pyrénées, boudelogue d'Angleterre), décrotteur, laveur de voitures, mendiant errant devant les magasins du bord-de-mer, sous-fifre au service des touristes, domestique à tout faire. Coincé dans l'enfer de Port-au-Prince, Gaston est réduit à mener une vie de paria. Les jours de malchance, le simple tranchant d'une feuille de malanga suffit à mutiler les doigts de la main. Et celui-là qui ne s'est pas soucié de bien fourbir la jarre, comment peut-il espérer se désaltérer d'eau pure ? Dans les profondeurs de la nuit, le sommeil investit le dormeur de sable, de pluie, de fer, de plomb ou de velours, selon les apprêts du lit dans lequel il se couche. Par son imprévoyance, Gaston, victime de ses chimères, repu de fantasmes, a joué de tout le poids de son corps sur une corde pourrie tendue au-dessus du vide. Déracinement. Perte d'équilibre. Vertige de la chute molle et déchéance honteuse. Torturé par le remords d'avoir abandonné lâchement sa province natale, acculé par la misère et l'échec dans une ville hostile, Gaston se souvient, un après-midi, du chemin qui conduit à Bois-Neuf. À la faveur d'une roue libre, il couvre la moitié de la route dans un camion-citerne de la compagnie pétrolière Texaco. Puis, à pied, par des raccourcis à travers les halliers, il réussit à atteindre les rives de l'étang juste après la tombée de la nuit, au moment même où la lune, émergeant timidement derrière le morne Lakatao, balise de clartés laiteuses une friperie de nuages cotonneux. Parvenu au faîte de la colline Jonjon, il éprouve soudain un choc émotionnel bouleversant. Son cœur s'affole, chavire, à la vue du spectacle de Ravine-Sèche en armes et en furie. Flammes et fumée. Clameur de voix en marche. Debout, il regarde en se disant : « Coup manman la foudre tombée du ciel ! Quel miracle ! Bois-Neuf vient de rompre la poche des eaux par un jeu de coups de griffes. L'accouchement a déjà commencé sans moi. Et l'enfant qui va naître ne portera rien qui soit la germination de mes semences. Pas un signe. Pas même un consciente de sa force, la juste colère d'une communauté debout contre la tyrannie. Et, tandis que souffle la brise venue de la mer, les paroles se propagent par vagues successives dans le village argenté de lune : « Je ne vous parle pas pour tuer votre ardeur, ni pour vous endormir. Nous avons déjà trop dormi ; nous venons à peine de nous réveiller ; et la nuit s'évente au seuil d'une nouvelle saison. Je ne vous parle pas non plus avec la prétention de pouvoir aiguiller la chevauchée des orages à travers les ténèbres. D'avoir vécu comme un lâche dans l'obscurité et le silence, je suis peu digne d'annoncer à la tribu les premières percées de l'aube. Et je vous mets en garde contre les agamans resquilleurs qui pourraient surgir de l'ombre avec l'audace de vouloir assumer la paternité des feux de balise. Le voyage est long, très long ; il peut durer plusieurs récoltes avec des contre-temps dus à la bâtardise des vents tournoyant au-dessus des archipels de mort et de folie. Il nous faudra de temps en temps vomir les glaires qui nous encombreraient les bronches, et tracer, à chaque tournant de route, des vêvês dans la poussière du silence. Il y aura toujours un dézafi quelque part. La vie elle-même est un colossal dézafi.

Pour chasser le sommeil paralysant, la léthargie et la mort, nous devons, en tout temps et en tous lieux, apprendre à vivre pour le partage du sel. Beaucoup d'autres zombis croupissent dans la misère et l'inconscience au fond des montagnes, à l'intérieur des plaines et jusque dans les villes. Allons les réveiller par le sel. Pour garantir les visas de l'aube, soyons d'infatigables semeurs de sel. Car, là où il y aurait un seul être humain enchaîné, affamé, humilié, c'est l'humanité tout entière qui est traînée dans la boue... »

Tout doucement, quelques étoiles musardes lèvent l'ancre. Le soleil bourgeonne derrière le morne Lakatao. Bois-Neuf commence à se laver le visage. Sur la route de Ravine-Sèche, deux gosses, un garçon et une fille, marchant main dans la main, vont se baigner au point de jaillissement de la source.

Glossaire établi par Frankétienne

ACASSAN Sorte de bouillie préparée avec du maïs pulvérisé.

AGAMAN Saurien qui rappelle un peu le caméléon. Comme celui-ci, il peut changer de couleur sous l'influence de certaines conditions extérieures.

AGAROU Dans le panthéon vodou, il correspond au dieu du tonnerre.

AGOUÉ Loa protecteur des marins ; il domine les océans. La mythologie vodou le représente sous la forme d'un blanc aux yeux couleur de la mer gouvernant un navire. Cette référence anthropomorphique est liée au fait historique que les conquérants viennent toujours de la mer et sont toujours de race blanche.

AMATEUR S'emploie ici pour désigner le professionnel passionné des combats de coqs. Il fréquente régulièrement les gallodromes, accompagné de coqs de race sur lesquels il mise parfois de très fortes sommes.

ANOUS Petit saurien de la famille des iguanidés. Il est généralement vert, avec la gorge rouge. Sa forme est svelte.

ANTOINE-DES-GOMMIERS Célèbre houngan qui aurait vécu dans le sud d'Haïti, à l'endroit dénommé : « Plaine des Gommiers ». Il aurait été doué de facultés de divination et de clairvoyance extraordinaires.

ASSON Hochet sacré préparé à l'aide d'une calebasse courante (calebasse présentant la forme d'une grosse poire) entourée de colliers fabriqués avec des perles de porcelaine (de toutes couleurs) et des vertèbres de serpent. C'est l'attribut rituel du houngan. L'asson est toujours utilisé avec une clochette. Au cours des cérémonies, l'asson est tenu entre le pouce et l'index de la main droite, tandis que la clochette est placée entre l'annulaire et le majeur.

ASSÔTOR C'est le plus gigantesque et le plus puissant des tambours vodou. Sa hauteur dépasse souvent deux mètres. Son poids varie entre cent et sept cents kilos. Généralement, ce sont les adeptes possédés par les loas qui en jouent. Le tambour est parfois si grand que le tambourinaire est obligé de grimper sur un arbre pour le battre.

AVALASSE Masse d'eau boueuse en furie dévalant les pentes, les rigoles et les ravins, et causant parfois d'innombrables dégâts sur son passage. Les avalasses sont produites par des pluies abondantes.

ÂVÉ Plante dont les racines sont utilisées comme insecticide, en particulier contre les punaises de lit. Les racines d'âvé seraient douées de propriétés abortives.

AYIBOBO! Exclamation qui exalte, coupe ou termine les chants rituels dans le culte vodou.

BAKA Personnage mythologique représenté par un gnome attaché à une personne pour la protéger comme démon familier. Il peut se loger, croit-on, dans une chambre, dans un arbre ou dans une pierre. Généralement, le baka est assimilé à une force maléfique ; à une sorte de génie du mal. Les croyances populaires le représentent tantôt sous la forme d'un animal (serpent, chat noir, cabri) tantôt sous la forme humaine d'un nain aux yeux de braises, traînant toujours une chaîne.

BANDA Danse qui consiste à faire mouvoir ses hanches en conservant tout le reste du corps dans une espèce d'immobilité. Elle se caractérise surtout par la rotation des hanches ponctuée de violents coups de pubis. Par son caractère érotique allié à des gestes d'immobilisme cadavérique, c'est la danse de la sexualité et de la mort. On l'appelle aussi « danse guédé ».

BARBOUQUETTE Sorte de muselière pour les ânes et les chevaux, faite à l'aide d'une corde que l'on noue autour des mâchoires de l'animal.

BARON SAMEDI Chef des loas guédés. Sa demeure est au cimetière. Il dirige le royaume des mystères de la mort. Sa présence est signalée par une grande croix plantée à l'intérieur du cimetière.

BÂTON-MONTÉ Bâton qui, soumis à un traitement magique, donnerait à celui qui le porte protection, puissance et invincibilité. Le moindre coup de ce bâton est foudroyant.

BAYAHONDE Arbre couvert d'épines qui croît surtout dans les zones arides.

BIGAILLE Variété de moustique très petit.

BIZANGO Société secrète appartenant au groupe des sectes dites « rouges » ou sectes criminelles pratiquant le rite sanguinaire. Ce sont des sectes d'extermination rituelle. Elles sont connues sous d'autres appellations : zobop, vlingbinding et sans-poils. Réunis en bandes, les adeptes parcourent la nuit les campagnes et les rues de certaines villes en exécutant des danses macabres, à la recherche d'éventuelles victimes à sacrifier, dit-on.

BŒUF-CHAÎNE Homme de peine attaché au service d'un camion de transport. Il est chargé de l'arrimage des bagages (malles, provisions et denrées). Cette appellation péjorative se justifie par le fait que ce malheureux est obligé de manipuler une chaîne en fer pour ouvrir et fermer le coffre arrière du camion, chaque fois qu'un voyageur monte dans la voiture ou en descend.

BOIS-NOUVEAU Cette expression désigne toute personne qui aurait cessé d'être un zombi, après avoir retrouvé sa lucidité grâce à l'absorption du sel.

BÔKOR D'après la tradition, c'est un houngan malfaiteur qui étend souvent ses pratiques à la sorcellerie, aux maléfices. Le bôkor est reconnu comme un spécialiste des empoisonnements.

BORLETTE Loterie populaire qui s'est étendue à travers tout le pays. Elle fonctionne à partir d'un système de trois numéros gagnants tirés parmi les cent premiers nombres, de zéro à 99.

BOSSALE Se dit d'un loa qui chevauche un néophyte et qui n'a pas encore été dompté par le baptême vodou. Il se manifeste alors par des culbutes susceptibles de causer des dommages à la personne « possédée ». Le mot « bossale » s'appliquait, à l'époque coloniale, au Nègre fraîchement venu d'Afrique ; inhabitué à la férocité du système esclavagiste, il a été fort souvent un insoumis, un rebelle.

BOUMBA Sorte de pirogue, d'origine indienne, constituée par un tronc d'arbre creusé de manière appropriée. On l'appelle également « bois fouillé ».

BOUSILLETTE Plante dont la sève laiteuse, appliquée sur la peau, provoque de graves brûlures.

CACHIMAN Fruit charnu dont la pulpe fournit un jus légèrement jaunâtre.

CACHIMBO Pipe en terre cuite, d'origine indienne, que l'on rencontre surtout dans les milieux paysans.

CALALOU-GOMBO Bouillon préparé avec du calalou. Le gombo est un légume qui fournit une substance visqueuse.

CATCHAPICA Sorte de gros poignard.

CASSAVE Galette préparée avec la fécule de manioc.

CERCUELL-MADOULEUR Cercueil fabriqué grossièrement avec des planches brutes.

CHABINE Négresse à la peau et aux cheveux roux.

CHARLES OSCAR Personnage politique de triste mémoire, responsable du massacre de nombreux prisonniers à Port-au-Prince en 1915, alors qu'il était le commandant de la Grande-Prison. Il fut assassiné en même temps que le président Vilbrun Guillaume, lors des émeutes qui s'ensuivirent. Cette affreuse tuerie a servi de prétexte aux Nord-Américains pour débarquer en Haïti des troupes d'occupation. Charles Oscar a été transformé, avec le temps, en personnage de carnaval, représenté sous la forme d'un général bouffon armé d'un nerf-de-bœuf.

CHEF-DE-SECTION Agent de police dans les milieux ruraux.

CHOUQUET-DE-LA-ROSÉE Auxiliaire du chef-de-section.

CLAIRIN Eau-de-vie fabriquée avec les mélasses, les gros sirops et les débris du sucre de canne, qu'on fait fermenter et que l'on distille.

COCOBÉ Infirme, paralytique.

CORALLIN Frêle embarcation à fond plat.

COROSSOL Fruit charnu à pulpe sucrée fournissant un jus blanchâtre.

CORRIDOR Passage étroit entre deux rangées de maisons, conduisant généralement à un bidonville.

COUI Récipient fabriqué avec une moitié de calebasse évidée.

DAMBALA Dans la mythologie, ce loa est inséparable de Aïda-Ouèdo, son épouse. Ils forment un couple de loas blancs représentés par deux couleuvres et l'arc-en-ciel. Dambala passerait pour le loa de la sagesse et de la bonté. Tout ce qui touche au rituel de ce loa doit être blanc, en particulier la couleur des vêtements cérémoniels. Sa principale offrande consiste en un œuf posé dans un récipient de farine de froment. On le considère comme le loa symbolisant la fécondité.

DESSOUNIN C'est une cérémonie pratiquée au moment de la mort d'un hounsi-kanso, ou quelques heures plus tard. C'est un rite de dégradation symbolique, qui consiste à récupérer les secrets qui avaient été confiés au défunt lors de son initiation. Le houngan trace sur le cadavre une grande croix avec de la farine de maïs, et prélève de la tête une touffe de cheveux, et des poils du pubis. Le cadavre est recouvert d'un drap blanc sous lequel s'introduit le houngan qui se met à califourchon sur le ventre du cadavre. Sonnant la clochette et secouant l'as son, il invoque le loa « maître-tête » du défunt. Le houngan déclare sentir le contact s'établir entre lui et le mort qui, après avoir remué légèrement la tête, retombe dans l'inertie. À partir de ce moment, le houngan est certain que le loa s'est retiré de la tête du défunt. Et, au même instant, le loa manifeste sa présence dans la tête d'un membre de la famille du défunt. Enfin, le houngan emporte le « pot-de-tête » qui, selon les croyances, contiendrait à la fois l'âme du défunt et le loa « maître-tête » unis dans une sorte de symbiose mystérieuse.

DÉZAFI Sorte de foire organisée dans certaines provinces haïtiennes ; à côté des fêtes orgiaques, les combats de coqs en constituent l'attraction principale. Le mot dézafi, dans un sens plus large, signifierait : grand rassemblement ; mouvement populaire ; brassage de foules.

ERZULIE Déesse de l'amour, dans le panthéon vodou. Ardente et jalouse, elle exige que son serviteur lui consacre un jour de la semaine (mardi, jeudi ou samedi) pendant lequel il observera l'abstinence sexuelle. La sanction la plus courante qu'elle applique contre les serviteurs infidèles, c'est l'impuissance sexuelle chez l'homme et la frigidité chez la femme. Ce sont là des cas d'inhibition qui s'expliquent par des causes psychosomatiques liées à la transgression du tabou et au sentiment de culpabilité. Le culte d'Erzulie offre un exutoire à la libido. On a d'ailleurs remarqué que bon nombre des serviteurs d'Erzulie avaient des tendances homosexuelles.

FÔKSÉLI Plat qui, pour des raisons économiques, constitue la nourriture quotidienne de certaines populations pauvres. Selon les régions, le fôkséli est préparé soit avec le maïs moulu, soit avec le millet.

FRESAIE Oiseau rapace nocturne dont le hululement remplit d'effroi les gens superstitieux. Sa présence, aux alentours d'une maison, est souvent interprétée comme un présage de malheur.

FRESCO Glace râpée, puis sucrée à l'aide d'une liqueur aromatisée.

GALLIÈRE Gallodrome. Arène où se déroulent les combats de coqs.

GOVI Sorte de récipient en terre cuite recouvert d'un morceau de tissu, utilisé dans le culte vodou pour recueillir l'âme d'un disparu. C'est par le truchement du govi que les loas et les morts transmettent souvent leurs messages aux adeptes du vodou.

GRANDE-BRIGITTE Épouse de Baron Samedi. Il y en a qui prétendent qu'elle serait plutôt la mère de Baron Samedi. Sa demeure est au cimetière.

GRANDOUX Cerf-volant de très grandes dimensions, réalisé avec du papier épais.

GRAND-GOÛT Faim.

GRIDAPE Lampe à kérosène, en fer blanc. De fabrication artisanale, elle est munie d'une mèche faite de coton qui présente l'aspect d'un minuscule buisson rabougri.

GRILLOT Friture constituée par de la viande de porc préalablement assaisonnée.

GUÉDÉ Divinité de la mort qui se manifeste de manière bruyante et extravagante dans les cérémonies vodou organisées aux environs du 2 novembre. Les guédés exécutent une danse érotique (la danse banda) en mimant l'acte de copulation et en débitant des propos orduriers.

HOUANGA Préparation magique active, mise au point par le houngan au profit de quelqu'un qui désire réussir dans une entreprise quelconque.

HOUNFOR Temple vodou comprenant le péristyle et les chambres des loas. Un hounfor constitue un patrimoine familial; et les pouvoirs de grand-prêtre sont transmis d'une génération à l'autre. Un houngan qui se sent mourir désigne comme successeur un membre de la famille, le plus souvent un de ses enfants.

HOUNGAN Prêtre du vodou, chef rituel des voix mystérieuses, guérisseur, devin et magicien. C'est la centralisation de toutes ces attributions qui fait du houngan un personnage aussi important et influent du point de vue social. Du point de vue économique, il se range d'ordinaire dans cette catégorie de bourgeoisie rurale, la classe des paysans aisés. Du point de vue politique, l'exercice de sa profession lui donne une énorme puissance électorale; il est souvent consulté par les personnages politiques; et, de plus, il est bien placé pour remplir le rôle d'agent informateur.

HOUNGUÉVÉ Rangée de perles, de verroterie et de vertèbres de couleuvre décorant l'asson. Grand collier fait de pierres et de bigarrures que porte l'officiant au cours de certaines cérémonies.

HOUNGUÉNIKON Membre de la hiérarchie vodou, auxiliaire du houngan ; il est le chef du chœur rituel ou chef des chantres.

HOUNSI Adepte qui assiste le prêtre vodou au cours des cérémonies ; il est attaché au service du hounfor.

KALINDA Danse caractérisée par la rotation des hanches, entrecoupée de coups de pubis, de sauts périlleux, de culbutes et de contorsions épileptiques. Elle serait surtout dansée par les zobop au cours de leur évolution nocturne.

KANDJANROUN Ensemble de cérémonies vodou organisées en l'honneur des loas. Un kandjanroun peut s'étendre sur plus d'une semaine ; il comporte plusieurs phases rituelles. Il se caractérise surtout par de nombreux sacrifices d'animaux, et par une orgie de nourritures et de boissons.

KANZO Hounsi initié au feu. L'initiation du hounsi-kanzo est constituée par des rites de purification qui préparent à une nouvelle vie : exercices de piété et de mortification, réclusion, discipline, rupture de tout contact avec l'extérieur. L'épreuve du feu consiste à marcher sur des braises ardentes, à tremper sa main dans un mélange d'huile, de vin et d'infusion chaude, à la plonger ensuite dans une bouillie de maïs brûlante avant de la refermer avec la pâte.

KENNEDY Se dit des vêtements et des chaussures usagés en provenance des États-Unis d'Amérique, la plupart du temps envoyés à titre de dons aux populations pauvres du tiers monde. Mais, ces objets, détournés de leur fin, rentrent très souvent dans le circuit commercial.

LAMBI Coquillage marin utilisé en guise de cor. Signal sonore de ralliement des Nègres rebelles, il a joué un rôle important à l'époque des guerres de libération dans la colonie de Saint-Domingue.

LANCEUR Selon les croyances populaires, se dit du malfaiteur qui, armé d'une corde, parcourt les rues en pleine nuit à la recherche de victimes à capturer.

LANGAGE Manière de parler de certains initiés possédés par un loa ; elle consiste en une suite inintelligible de sons, tantôt nasillards, tantôt gutturaux. Le langage vodou comporte en majeure partie des mots africains ; il est utilisé le plus souvent par le houngan, lorsqu'il invoque un loa.

LAPLACE Hounsi qui donne le signal d'ouverture des cérémonies, en faisant sortir les drapeaux du hounfor. Il est armé d'un sabre ou d'une machette rituelle comme personnification des mystères d'Ogoun. Il rythme les services avec son sabre et conduit les processions rituelles.

LASIGOÂVE Animal mythologique que l'on imagine avec une tête de loup et un corps en métal. Ce monstre, au cours de ses incursions nocturnes, s'attaquerait au bétail et aux animaux domestiques.

LEGBA Ce loa est le gardien des passages, attribution qui lui vaut d'être, en même temps, le maître des carrefours, c'est-à-dire l'esprit qui règne sur les chemins et tous les croisements de routes. Dans les cérémonies, il doit être invoqué le premier, et il reçoit les prémisses des offrandes. Dans sa représentation, il est associé à un énorme phallus symbolisant la fécondité. Souvent, le phallus est remplacé par un bâton en forme de crosse, car, affirme-t-on, Legba est un vieillard fatigué par d'incessants voyages.

LINGLESSOU Loa violent si avide de sang qu'on l'appelle Linglessou bassin-sang. L'adepte, « possédé » par ce loa, s'acharne généralement à manger des bouteilles et des verres, pendant tout le temps que dure la crise de possession.

LOA Appellation des dieux dans la religion vodou. Les loas sont en relations étroites avec les hommes. Ces relations s'expriment par des symboles qui permettent aux hommes de vivre leurs mythes. Dans la religion vodou, la crise de possession est recherchée comme l'étape culminante de toute cérémonie. Et alors les loas parlent aux humains par la bouche des adeptes « chevauchés ». La crise de loa est un phénomène nerveux d'ordre suggestif. La suggestion se réalise par l'émotion religieuse créée chez l'initié par l'ambiance (tambours, chants sacrés et battements de mains). Dans certains cas, la crise de loa produit une véritable catharsis et plonge l'initié transfiguré dans une zone de lumière, de transcendance et de voyance.

MABOUYA Petit lézard gris au corps tacheté de différentes couleurs ; il vit surtout dans les halliers.

MACHINE-DE-MINUIT Véhicule qui, selon les croyances populaires, parcourt les rues en pleine nuit à la recherche de victimes à sacrifier. La machine-de-minuit serait alors au service des lanceurs qui se servent de corde pour capturer les piétons et les noctambules imprudents. Au fond, il s'agit d'une véritable légende qui rentre dans le contexte des manœuvres politiques traditionnelles en Haïti, visant à créer un climat d'insécurité susceptible d'entraîner la chute d'un gouvernement.

MADAME BRUNO Personnage carnavalesque qui représente une dame d'énorme corpulence portant sur son dos un mannequin mâle aux jambes suspendues. Ce mannequin, selon la tradition populaire, symboliserait la faiblesse de l'époux cocufié.

MADICHON Malédiction. Mauvais sort.

MAÎTRESSE-DES-EAUX Personnage mythologique qui rappelle un peu la Sirène. On l'imagine comme étant une femme d'une grande beauté. Ses cheveux sont si longs qu'ils descendent jusque sur ses fesses. Et celui-là qui aurait la chance de s'emparer de son peigne deviendrait très riche. Le royaume de la maîtresse-des-eaux est tapissé de soie et de velours, pavé de pièces d'or, décoré de lumières multicolores. La légende prétend que toute personne emmenée de gré ou de force à son palais, situé au fond des eaux, est traitée royalement mais n'a aucune chance d'en sortir. Après un séjour plus ou moins long, le séquestré ne parvient à fuir sa prison dorée qu'en absorbant du charbon en cachette pour pouvoir simuler la maladie du charbon. Et, la maîtresse-des-eaux, affolée par la coloration noirâtre des selles de son hôte, indique aussitôt à ce dernier les méandres, les corridors et les nombreuses portes qui conduisent hors de son palais somptueux.

MALDIOCRE Mauvais sort qui s'abat brusquement sur quelqu'un qui, selon les croyances populaires, serait provoqué paradoxalement par trop d'éloges et d'admiration. Le mot maldiocre est également employé dans le sens de : amulette.

MALFINI Oiseau rapace diurne, de la famille des éperviers ; il est réputé pour son agressivité contre les poussins.

MAMBA Beurre d'arachide.

MAPOU Arbre géant à tronc énorme, considéré comme un arbre sacré par les adeptes du vodou. Très souvent, le mapou joue le rôle d'arbre-reposoir (arbre consacré aux loas).

MARASSAS Jumeaux. Dans le panthéon vodou, dieux gémeaux.

MÂT-SUIFFÉ Mât de cocagne.

MAYAMBA Jeu pratiqué par les enfants des milieux populaires et ruraux avec des tessons de porcelaine.

MAZETTE Se dit de quelqu'un qui ferait montre de très peu d'aptitude dans un domaine donné.

MÉLLASSINE Longue machette.

MIGAN Sang d'animaux sacrifiés, mélangé à des ingrédients divers et offert aux fidèles en manière d'hostie.

MOUNDONG Loa excessivement violent, qui réclame souvent des sacrifices humains.

NAGO Danse vodou dont les mouvements miment la guerre et expriment la fougue, l'intrépidité et le courage dont sont réputés les nagos originaires d'Afrique.

ODÉIDE Vêtements et chaussures usagés destinés à la vente.

OGOUN Le loa de la guerre comme en Afrique où il est surtout associé aux travaux de forge. Par extension, tout ce qui touche aux fers est du domaine de sa puissance.

ORGINE Caractérise, dans la légende, la bourrique muette de naissance. On l'appelle également « bourrique souris ».

OUARI Graine dure provenant d'une gousse produite par un arbuste. De forme ovoïde, d'un rouge vif, la graine d'ouari sert parfois d'amulette. Elle aurait, croit-on, l'étrange vertu de blanchir l'épidenne en diminuant le taux de mélanine du tissu épithélial. Cette croyance traduit un des aspects de l'aliénation des populations noires qui ont subi les méfaits de la colonisation blanche. En effet, certains noirs, dépersonnalisés, écrasés sous le poids du système colonial, en arrivent souvent à envier la peau blanche.

PÉRISTYLE À de rares exceptions, le péristyle, de forme rectangulaire est situé devant le hounfor. C'est sous le péristyle que se déroulent les cérémonies publiques du culte vodou. Le péristyle sert de refuge à tous les adeptes qui vivent dans le giron du hounfor. La plupart du temps, c'est sous le péristyle qu'on fait coucher les malades en traitement. Le péristyle est toujours de terre battue ; il est bordé généralement par un muret dont la hauteur ne dépasse pas celle de la poitrine d'un homme.

PERLIN Sorte de piège.

PÉTRO Catégorie de loas dont l'élément est le feu. Les cérémonies, en l'honneur des loas pétros, s'accompagnent toujours de sacrifices d'animaux. Les loas pétros sont violents et sanguinaires. Dans leurs transports de férocité, ils peuvent exiger des sacrifices humains. En pareille conjoncture, le savoir-faire du houngan est mis à rude épreuve ; il devra, en effet, s'évertuer à amadouer la redoutable divinité pour qu'elle accepte, en échange de la victime convoitée, une ou plusieurs têtes de gros bétail.

PICHON Ce mot désigne un insecte de très petite dimension qui s'attaque par milliers à certains arbustes, provoquant une maladie qui se manifeste par l'apparition de plaques blanchâtres privées de sève. Elle entraîne la chute des feuilles, le dépérissement des branches et souvent la mort de l'arbre. Par extension, le mot pichon signifie : déveine persistante qui se traduit par une accumulation de maux ou une succession d'événements malheureux dans la vie de quelqu'un.

PINGA-SEREIN Boisson alcoolique préparée avec la moitié d'un citron qui serait restée attachée à la branche du citronnier pendant une nuit entière pour y subir l'action de l'air. Cette boisson constitue un poison violent pour celui qui, après en avoir bu, s'exposerait à l'humidité ou à la fraîcheur de la nuit. D'où son nom de pinga-serein, c'est-à-dire : prends garde au serein.

PINTADINE Désigne le métis du coq et de la pintade. Il passe pour être d'une férocité telle qu'il est exclu des gallières.

POINT Talisman, don surnaturel que confère le houngan. Le point donne à son possesseur un pouvoir infaillible qui lui permet, selon la nature de ce point, de réaliser le but visé. Ainsi, le « point de l'anguille » permet à son détenteur de disparaître de la vue de ses ennemis aussitôt que ses pieds auront touché l'eau d'un ruisseau. Le « point-pas-prend », très prisé à l'époque des révolutions sanglantes, confère l'invulnérabilité. Le « point-attirance » permet à certaines femmes d'avoir du succès auprès des hommes. Mais, les points les plus recherchés sont ceux qui assurent la réussite dans les affaires, la fortune en un mot.

POTEAU-MITAN C'est une sorte de mât-rituel. Il est, comme son nom l'indique, placé au milieu du péristyle. Il est généralement enchâssé dans un socle de maçonnerie circulaire symbolisant la matrice. Le poteau représenterait le phallus ; et il constitue l'axe rituel de toutes les cérémonies.

RARA Sorte de carnaval rural organisé pendant la saison qui s'étend du mercredi des Cendres au lundi de Pâques. Il s'agit avant tout de groupes de danse ambulants fonctionnant pour le divertissement de leurs membres et des populations environnantes.

RAS-BORDAGE Bande carnavalesque dont la musique se caractérise par le rythme coloré d'un jeu de vaksines agrémenté d'un roulement continu de baguettes sur une caisse sonore de moyenne dimension.

RIGOISE Nerf-de-bœuf.

ROROLI Arbuste dont les tiges fournissent une infinité de petites graines comestibles qui portent le même nom.

ROUE-LIBRE Transport d'une ou de plusieurs personnes à titre gracieux. Ce mot caractérise également le fait par un véhicule de rouler au neutre, c'est-à-dire avec le moteur éteint (sans consommer de carburant).

SAMBA Poète, musicien, chanteur, il improvise souvent ses compositions à l'occasion des manifestations populaires qui marquent la vie de son village.

SOBAGUI L'une des chambres sacrées du hounfor.

TASSOT Viande de bœuf séchée au soleil pendant plusieurs jours.

TATÉZOFLANDO Personnage légendaire, réputé pour sa méchanceté. Il battait chaque jour sa malheureuse épouse. Personne ne connaissait son nom. Il maltraita impitoyablement sa femme, jusqu'au jour où celle-ci lui révéla qu'il s'appelait : Tatézoflando. Alors, il éclata comme une bombe et son corps déchiqueté disparut dans les airs. Le nom Tatézoflando renvoie à une symbolique des sons : tâtez les os des flancs et du dos (démarche consistant à sonder avec patience les mystères de la vie, à remuer les éléments enchevêtrés de la réalité jusqu'à la découverte de la vérité).

TERRINE Vase de terre cuite de forme arrondie. Remplie d'eau, elle serait utilisée par certains houngans comme une sorte de miroir magique dans lequel apparaîtrait l'image de la personne qu'on veut atteindre à distance.

TÊTE-SANS-CORPS Personnage mythologique constitué par une grosse tête affreuse privée de corps. Remarquable par sa voracité, ce personnage hante les greniers, dévore les récoltes et cause des ravages dans les basses-cours.

TOLALITO Sorte de ronde enfantine qui se caractérise par des chassés-croisés.

TROIS-DÉGOUTTES Poison foudroyant préparé, dit-on, avec la bave et le liquide céphalo-rachidien des cadavres.

VAKSINE Tige de bambou utilisée comme instrument à vent dans les bandes carnavalesques et surtout dans les raras.

VENTAILLÉ Se dit d'une offrande (poulet ou tout autre animal sacrificiel) mise en contact avec les différentes parties du corps de quelqu'un. Ventailler un animal, c'est l'exposer aux quatre points cardinaux et le passer tout le long du corps du néophyte, avant de le sacrifier.

VÊVÊ C'est un dessin tracé sur le sol, au pied du poteau-mitan; il représente l'emblème de la divinité que le houngan désire invoquer. Ces figures sont réalisées avec de la farine de blé ou de maïs, ou avec de la cendre appelée, en terme vodou, farine de Guinée. Cette farine est prise par petite quantité entre le pouce et l'index; et on la laisse tomber à la manière d'un sablier. Au cours des cérémonies, les vêvês constituent de véritables manifestations d'art.

VINGT-QUATRE-HEURES Gros insecte noir à ailes rouges qui doit son appellation à la croyance qui voudrait que sa piqûre entraîne la mort de la victime après vingt-quatre heures.

VLINGBINDING Société secrète appartenant au groupe des sectes dites « rouges » ou sectes criminelles pratiquant le rite sanguinaire. Ce sont des sectes d'extermination rituelle, connues sous d'autres appellations : zobop, bizango, sans-poils. Les adeptes du vlingbinding portent une curieuse bague en argent pur surmontée d'une tour au sommet de laquelle est soudée une petite chaîne composée de trois anneaux (cette tour correspond à celle de Siloé où l'on pratiquait des sacrifices humains). Le terme vlingbinding proviendrait, par déformation phonétique, de l'agglutination des mots suivants : vin (sang) – pain (chair humaine) – ding (excréments). Réunis en bandes, les adeptes parcourent la nuit les campagnes et les rues de certaines villes en exécutant des danses macabres, à la recherche d'éventuelles victimes à sacrifier, dit-on.

VONVON Gros insecte vrombissant d'un noir luisant.

YANVALOU Danse vodou mimant les mouvements ondulatoires de la couleuvre qui est le symbole zoomorphique central de la religion vodou. En dansant le yanvalou, on rend hommage aux loas Dambala et Aïda symbolisés par deux couleuvres qui se complètent dans le sens de l'éternel masculin lié à l'éternel féminin. La danse yanvalou sert également, dans certaines cérémonies, à rendre hommage au loa Agoué (dieu de la mer) et à sa femme Erzulie. En effet, le yanvalou évoque aussi les mouvements des vagues marines.

ZOBOP Voir le mot « Vlingbinding ».

ZOMBI Mort-vivant, asservi et utilisé comme main-d'œuvre gratuite. C'est un être apathique qui végète dans une zone brumeuse entre la vie et la mort. Il se meut, mange, entend, parle, travaille pour son maître; mais, il n'a aucun souvenir et il n'est nullement conscient de son état. On reconnaît un zombi à son air absent, à ses yeux vitreux et à l'intonation nasale de sa voix. La docilité du zombi est absolue à la condition qu'on ne lui donne pas de sel. S'il goûte d'un plat contenant ne serait-ce qu'un grain de sel, le brouillard qui enveloppe son cerveau se dissipe d'un coup. Le brusque réveil de sa conscience le transforme aussitôt en un nouvel être plein d'énergie et de détermination. Récupérant son passé, gonflé de colère, emporté par un incoercible besoin de vengeance, il devient ce que l'on appelle un « bois-nouveau ». Le processus de la zombification comporte trois étapes : 1re) l'empoisonnement par des drogues préparées empiriquement à partir de certaines plantes. Le coma provoqué est si profond qu'il ne se différencie presque en rien de la mort véritable. La victime passe donc pour morte et elle est inhumée dans les vingt-quatre heures, d'autant plus que les zones rurales sont pratiquement dépourvues de médecins équipés d'appareils qui auraient pu déceler les faibles manifestations de la vie, dans de pareils cas. 2e) La réanimation de la victime exhumée de la tombe, quelques heures après son inhumation. À la faveur de la nuit, le bôkor pénètre dans le cimetière, il déterre le corps, puis il verse quelques gouttes d'un liquide, dont lui seul a le secret, dans les oreilles, les narines et la bouche du sujet, pour réactiver les centres vitaux qui fonctionnaient au ralenti. La victime, une fois réveillée, est giflée, cravachée et conduite chez son maître pour y subir une exploitation à vie. 3e) Le maintien de l'état d'hébétude et d'abêtissement. Le zombi continue à vivre dans une sorte d'inconscience et d'apathie. Cette forme d'amnésie est entretenue par des méthodes barbares de dépersonnalisation. En effet, le zombi est une bête de somme que son maître exploite sans merci, le forçant à travailler dans ses champs, l'accablant de besogne, ne lui ménageant pas les coups de fouet et ne le nourrissant que d'aliments insipides. D'ailleurs, le sel est exclu de l'alimentation du zombi. Cela nous éclaire quelque peu sur le phénomène de la zombification, lorsque nous nous rappellons le rôle et l'importance de l'osmose dans les principales fonctions vitales.

Achevé d'imprimer sur rotative
par Darantiere à Quetigny
Dépôt légal mars 2010

N° d'impression : 10-0428
Imprimé en France